EN MUERTE EN EL BALNEARIO

ERIK VOGLER

EN MUERTE EN EL BALNEARIO

BEATRIZ OSÉS

edebé

Paseo de San Juan Bosco 62
08017 Barcelona
www.edebe.net

Atención al cliente: 902 44 44 41
contacta@edebe.net

Diseño de la colección: BOOK & LOOK
Ilustración de portada: Iban Barrenetxea

Primera edición, septiembre 2014

ISBN 978-84-683-1285-9
Depósito Legal: B. 13819-2014
Printed in Spain

A Noelia y a Pedro.

ÍNDICE

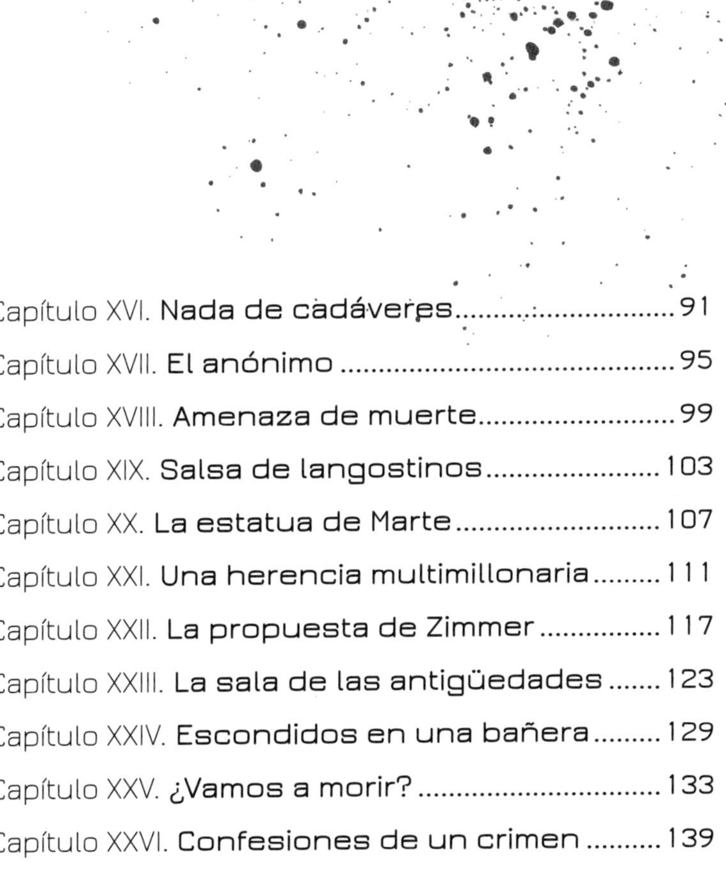

Capítulo I

La invitación de Berta

Tras los crímenes de Bremen, Erik Vogler necesitaba un descanso. Una cura de reposo, alejado de la ciudad, tal y como le aconsejaron los médicos. No en vano, las pesadillas con el «rey blanco» le asediaban casi todas las noches. Por ese motivo, su abuela Berta aceptó la invitación de un viejo amigo, director de un lujoso balneario, para viajar al norte de Italia durante una semana. Aunque su nieto le parecía un auténtico plomo, un cambio de aires les sentaría bien.

–¡No pienso ir con la abuela a ninguna parte! –exclamó enfurecido al conocer la noticia.

–Erik –trató de calmarle su padre persiguiéndole por el pasillo de casa–, tu psicóloga cree que es una idea genial.

–¡Pues, entonces, que vaya ella y hagan calceta juntas!... Seguro que se lo pasarán de muerte.

–A mí me encantaría acompañaros –mintió–, lo sabes muy bien, pero tengo que trabajar y me resulta imposible.

–¡Qué casualidad! –replicó irónico al mismo tiempo que abría la puerta del salón.

–Serán solo unos días.

–¿Solo unos días? –repitió enfadado dando vueltas alrededor de la mesa del comedor–. Lo mismo me dijiste cuando te fuiste a Nueva York y no resistí con ella ni una semana en Grasberg. ¿Ya no te acuerdas? Por su culpa salí huyendo de allí –soltó, evitando nombrar al fantasma de Sandra Nadel y al inquietante Albert Zimmer, que también habían influido notablemente en que escapase del pueblo de su abuela.

–Bueno... –empezó Frank Vogler sin saber muy bien lo que iba a decir–, eso ya pertenece al pasado.

–¿Al pasado?... ¡Pero si fue hace un mes! –protestó dejándose caer en el sofá.

–Mira, hijo –prosiguió, intentando cambiar de tema mientras abría su tableta electrónica y se sentaba junto a él–, mira dónde te quiere llevar tu abuela. ¿Has oído hablar del balneario Celeste Aida? –le preguntó haciéndose el interesante.

–¡No!

–Es uno de los centros termales más lujosos y elitistas de Italia, situado a los pies del lago de Como –le explicó mientras buscaba su página en la red–. Se trata de un lugar precioso.

Por supuesto que conocía aquel lago y sus mansiones millonarias. Las había visto en televisión y en Internet. A pesar de que no quería aparentar curiosidad, su padre había logrado que deseara saber algo más sobre aquella propuesta. Pero no quería admitirlo.

–¿Quieres ver su web?

–No me interesa –contestó fingiendo indiferencia.

–¡Es una maravilla!

Erik Vogler no pudo evitar inclinarse sobre la pantalla, aunque lo hiciera con mucho disimulo, como si aquello no fuera con él.

–Tienen tratamientos hidrotermales de vanguardia, masajes tailandeses, helioterapia, termas romanas, saunas finlandesas, duchas escocesas, baño turco, parafangos. Lo mejor de lo mejor –le aseguró mostrándole algunas fotografías de las instalaciones.

–Me encantaría probar los parafangos –reconoció.

Frank Vogler se imaginó a su hijo cubierto de barro hasta las cejas.

–Traen, incluso, lodo del Mar Muerto –improvisó sobre la marcha para convencerle.

–¿De verdad?

Su padre movió la cabeza en señal afirmativa.

–¿Tienen mascarillas hialurónicas termoactivas? –preguntó el joven con gran interés.

–También, desde luego –le aseguró.

¿Qué diantres sería una mascarilla hialurónica termoactiva?

–¿Podré someterme a un tratamiento completo?

–Podrás –le confirmó esperanzado.

–¿Cenar en mi habitación?

–Por supuesto.

–¿Acceso a Internet ilimitado?

–Sin duda.

–¿Con qué compañía volaríamos?

–Alitalia.

–Hum..., no me convence demasiado.

–Primera clase. La abuela tiene los billetes reservados.

–¿Cuándo saldríamos?

–Pasado mañana.

Erik apretó los labios. Tal vez fuera poco tiempo para planificar un viaje de esas características. Organizar el equipaje siempre le suponía un enorme esfuerzo; debía estudiar hasta el último detalle dependiendo de las previsiones meteorológicas, de las tendencias de la temporada.

Preparar una maleta era crear una obra de arte.

Después de unos segundos de silencio, dejó caer un suspiro. Tenía que sopesar los pros y los contras de la oferta. Por un lado, pasaría unos días con ELLA. Un tormento de mujer. Por otra parte, disfrutaría de uno de los mejores balnearios del mundo. Entre las ventajas, muy tentadoras, los cuidados de las fisioterapeutas, las terapias más selectas, las vistas al lago de Como y, por supuesto, la excelente comida del hotel. No se sometería nunca más a los guisos infernales de Berta Vogler. El único inconveniente, por tanto, la presencia de su abuela. Era una decisión difícil, sin duda. Se mordió el labio inferior.

–Lo consultaré con mi almohada.

Con su almohada ergonómica.

Frank Vogler sonrió con ternura y cruzó los dedos de los pies.

Capítulo II

Celeste Aida

Dos días después, acompañado de su fiel maleta Chantel, Erik llegó al aeropuerto de Bremen. No le costó mucho reconocer, entre los pasajeros, la cabeza de su abuela que se deslizaba por una cinta mecánica. Iba en dirección al mostrador de Alitalia en el que debían facturar el equipaje. El joven se lamentó en silencio. Con aquella mata de pelo alborotado, que nada tenía que envidiar a las rastas de un león envejecido, se atrevía a visitar, sin ningún reparo, uno de los balnearios más lujosos del mundo.

¿Y qué decir del estilismo? Una larga falda *hippie* de colores con un jersey que había tejido ella misma. Botazas militares, en cuyas suelas se almacenaba todo tipo de restos orgánicos, y bolsa de tela vaquera con mancha de tinta de bolígrafo en una de sus esquinas. Terrible. Totalmente inapropiado. Estaba claro que no había consultado las previsiones meteorológicas que pronosticaban un tiempo agradable y primaveral en el norte de Italia. Al menos, se consoló, en el balneario no tendría más remedio que llevar el albornoz del hotel.

Aunque no era una sentimental y le costaba expresar sus emociones, Berta Vogler estampó dos besos en las mejillas del joven de pelo engominado que se había acercado a ella.

A fin de cuentas, era su nieto y había estado a punto de morir a manos de un asesino. Y, no podía negarlo, aunque le pareciese un tremendo plasta, era un Vogler. De alguna extraña forma, que ni ella misma alcanzaba a comprender, compartían la misma sangre.

–Me alegra que hayas aceptado mi invitación –dijo sin pensar–. Aquí tienes tu billete.

Acto seguido, se giró para guardar cola en el mostrador y no se volvieron a dirigir la palabra hasta que aterrizaron en Milán.

Un chófer los aguardaba en el aeropuerto para trasladarles al lago de Como. Era una hermosa mañana de finales de abril. Durante el trayecto en el automóvil, Berta Vogler se quitó su jersey rojo y dejó al descubierto una camiseta de tirantes de color pistacho y unos hombros blancos sembrados de pecas. Intentando alejarse de aquella visión, su nieto miró por la ventanilla y subió el volumen de su iPod.

En poco tiempo, la carretera se internó en el paraíso selecto de árboles, agua y mansiones increíbles del lago de Como. En una de aquellas laderas, rodeado de extensos y cuidados jardines, se erigía Celeste Aida.

–Bienvenidos –les saludó en perfecto alemán la encargada de la recepción–. ¿La señora Berta Vogler y su nieto?... Les estábamos esperando. El director del hotel se reunirá con ustedes tan pronto como le sea posible. Tienen reservadas sus habitaciones en la tercera planta, con extraordinarias vistas al lago. Son las *suites* Werther y Madame Butterfly.

Rápidamente un botones se acercó para tomar sus maletas y subirlas a las habitaciones.

–Si lo desean –propuso la empleada del hotel–, pueden tomar un cóctel en la terraza Modigliani. Allí –explicó dirigiéndose a sus clientes– les aguarda su invitado.

¿Invitado? ¿Qué invitado? Erik la miró con desconfianza. Sin duda, se trataba de un error. Así que esperó la oportuna rectificación de su abuela. Sin embargo, Berta Vogler continuó la conversación con vivo interés.

–¿Ya ha llegado? –preguntó sorprendida.

–Hace apenas una hora. Tomó un vuelo anterior al de ustedes –le informó la encargada.

–¡Perfecto!... –exclamó–. Entonces, nos reuniremos con él en la terraza Modigliani.

–Muy bien, uno de nuestros empleados les acompañará. Aquí tienen las llaves de sus *suites* –les indicó entregándoles unas tarjetas–. Les deseo una feliz estancia en el Celeste Aida –añadió con una sonrisa.

–*Grazie tante!* –contestó Berta.

Erik se quedó pálido y enmudeció. ¿Quién los estaba esperando? Se suponía que solo viajaba con su abuela. Nadie le había informado de aquel «pequeño detalle» que bien podía convertirse en un contratiempo sin importancia o en un verdadero desastre. Empezó a ponerse nervioso. No le gustaban las sorpresas en absoluto y mucho menos las que podía depararle aquella mujer imprevisible. ¿Quién sería el invitado misterioso?

Atravesaron varios pasillos con suelos de mármol y algunas estatuas de dioses romanos. Siguiendo los pasos del hombre, pasaron junto a las salas Botticelli y Caravaggio. Un poco después, se detuvieron en el umbral del salón Leonardo, que conducía a la terraza Modigliani, y el empleado les invitó a pasar. Caminaron entre muebles de diseño parisino, combinados con sofisticadas lámparas y sofás de estilo veneciano. Por fin, salieron a una elegante terraza con sombrillas blancas y mesas de madera tropical, donde soplaba una ligera brisa. En una de sus esquinas, sentado de espaldas, había un huésped solitario que contemplaba en silencio las aguas del lago. El corazón de Erik comenzó a latir con fuerza. Aquella silueta le resultaba familiar.

–¡Albert! –gritó entonces Berta.

Al escuchar su nombre, el chico se giró en su asiento y, a continuación, se levantó para saludar a los Vogler. Se trataba de Albert Zimmer, el extraño joven que conoció en Grasberg durante la Semana Santa. Allí estaba de nuevo, caballeroso y despreocupado, esbozando esa desconcertante sonrisa, ocultando sus colmillos y estrechando la mano de su abuela como si fuera de la familia. Como si los conociera de toda la vida. Pero, en realidad, ¿qué sabían de él?... ¿Quién era Albert Zimmer?... Y, ¿por qué su abuela había tenido la maldita idea de invitarlo?

Se arrepintió entonces con todas sus fuerzas de haber aceptado aquella propuesta, de haber acudido al Celeste Aida. Su padre había urdido una trampa, había tejido una telaraña atractiva y engañosa. Y él había sido ese insecto bobo que cae en la red y no puede huir de ella.

Capítulo III

Un pasillo inquietante

Aunque la comida fue exquisita y el trato del personal, excelente, la aparición de Albert Zimmer le había inquietado sobremanera. Con la llegada del nuevo invitado, el nieto de Berta no logró relajarse hasta que se sometió a los tratamientos que había reservado para esa misma tarde. Solo mientras le colocaban su mascarilla facial y le masajeaban los dedos gordos de los pies, fue capaz de ignorar la inesperada presencia de aquel joven. Poco después, al embadurnarle con aceites esenciales y cremas de última generación, el nieto de Berta pudo olvidar, por un momento, los crímenes de Bremen. Y, por primera vez, desde entonces, se sintió feliz.

Transcurridas unas horas, cuando habían finalizado sus terapias y se disponían a cenar en el salón Leonardo, conocieron al director del hotel. Se llamaba Roberto Vasari y había coincidido con Berta Vogler en la Universidad de la Sorbona, donde ambos estudiaron. A pesar de los años, continuaba siendo un hombre atractivo. Vestía un traje de chaqueta impecable y unos zapatos que Erik contempló con profunda admiración. Al ver a su vieja amiga, Roberto Vasari le tomó la mano e hizo ademán de besarla.

–Lamento muchísimo no haberos saludado a vuestra llegada –se disculpó.

–¿Demasiado ocupado? –le preguntó ella con coquetería.

–Nuestros huéspedes son muy exigentes –afirmó él con una sonrisa.

–Pondré una queja por haberte olvidado de mí –bromeó ella.

–Querida Berta, prometo que intentaré compensarte. Espero –añadió mirando a los dos jóvenes– que vuestra estancia en nuestro balneario os resulte inolvidable.

–Gracias, señor –contestaron al unísono.

–¿Te quedas a cenar con nosotros? –le sugirió Berta señalando una butaca vacía.

–Imposible. Tal vez, mañana –dijo despidiéndose de sus invitados.

Y, por último, al dirigirse a ella, añadió galante:

–Sigues tan hermosa como cuando nos conocimos.

Erik se quedó pasmado. Roberto Vasari debía de estar loco o ciego, o ambas cosas a la vez. ¿De qué otra forma podría explicarse que intentara ligarse a su abuela? ¿Atracción de polos opuestos? Al menos en lo concerniente a la moda, estaba claro que no tenían nada en común. Eso pensaba mientras veía cómo el director se alejaba entre las mesas del restaurante.

Con la excusa de que había comido algo en su habitación, Albert Zimmer casi no probó bocado durante la cena. Se limitó a observar cómo la abuela y su nieto saboreaban un *sashimi* tibio de bogavante al *wasabi*. En un momento dado, se ofreció a recoger la servilleta que se le había caído a Erik, adelantándose a uno de los camareros. Por un segundo, le rozó con su mano glacial la muñeca. Sobresaltado, el nieto de Berta apartó la mano con rapidez como si le hubiera sacudido una descarga eléctrica. Albert Zimmer estaba hecho de hielo o de otro material inhumano. Ya no albergaba ninguna duda sobre la extraña naturaleza de aquel joven. Por ese motivo eludió su mirada perturbadora y se refugió detrás de la carta de postres.

Aquella noche, la primera en el Celeste Aida, Erik apenas logró conciliar el sueño. Ocupaba la habitación 309, la *suite* Werther, de la tercera planta, y disponía de una cama interminable, con un dispositivo electrónico para inclinarla a su gusto. Sin embargo, extrañaba su almohada ergonómica y, por desgracia, los ronquidos de su abuela, que dormía en la suite 311, conseguían atravesar la gruesa pared que los separaba.

Sin embargo, lo que más angustia le producía era que en la habitación contigua, en la número 307, la *suite* Otello, se alojaba Albert Zimmer. Así que se tomó una pastilla de valeriana para calmarse y se colocó un antifaz de terciopelo azul sobre los ojos. Dio varias vueltas en la cama buscando la posición más cómoda. Recordó los zapatos del director del balneario. Perfectos. Dio más vueltas de un lado al otro del colchón, como una croqueta sobre la harina antes de precipitarse en la sartén.

Algo más tarde, escuchó un ruido en el pasillo. Se levantó el antifaz y consultó su reloj de pulsera. Era cerca de la una de la madrugada. Volvió a sentir unas pisadas. Imposible dormir. Se incorporó de la cama con cautela, se calzó las pantuflas y se acercó a la puerta del dormitorio. De forma cuidadosa, giró el picaporte y la entreabrió muy despacio. ¿Quién llegaría a esas horas?

Al fondo del pasillo, distinguió a una anciana con un tocado en la cabeza y un diminuto can bajo el brazo. Se trataba de un chihuahua marrón, de pelo corto y colmillos puntiagudos que sobresalían por los laterales del hocico dándole un aspecto horripilante.

Al mismo tiempo que aguardaba de pie, la desconocida

acarició la cabeza del animal, que entrecerró los ojos saltones en señal de agradecimiento. Tras unos segundos de espera, la anciana y su mascota pasaron a la habitación. Alguien les había abierto la *suite* más lujosa del hotel, la Rigoletto. Y ambos cruzaron el umbral sin percatarse de que los estaban espiando.

Una vez que el pasillo quedó desierto y Erik estaba a punto de regresar a su cama, la puerta de la habitación de Zimmer se abrió de golpe.

–¿Qué haces despierto, Vogler?

–¿Y tú? –le replicó ocultando su nerviosismo.

–Yo he preguntado primero –soltó sin rodeos–. Dime, ¿por qué estabas asomado a la puerta?

–¡A ti qué te importa!

–Vaya, vaya. ¡Qué irritable!... Un poco de insomnio, ¿verdad? –apuntó con tono paternal–. Lo cierto es que yo tampoco puedo dormir.

Erik lo miró con suspicacia.

–Ya que estamos desvelados –comenzó acercándose a él–, te iba a proponer la revancha.

–¿La revancha? –repitió Erik desconcertado.

–Sí, de la partida de ajedrez que jugamos en Grasberg. ¿Qué dices?

Ni siquiera le contestó. Se limitó a darle con la puerta en las narices lo más rápido que pudo para evitar que entrara en su habitación. Entretanto, al otro lado, escuchó la voz de Albert que le preguntaba divertido:

–Vogler, ¿por qué te doy tanto miedo?

El nieto de Berta giró la llave de seguridad y se alejó de la puerta dando pequeños pasos hacia atrás. Oyó entonces una risotada y, después, silencio. Tragó saliva y le vino a la memoria el crucifijo de Jerusalén. Lo buscó en la cartera y no respiró hondo hasta que lo sostuvo entre sus dedos. Se tumbó en la cama aunque evitó volver a ponerse el antifaz que utilizaba en sus viajes. Al cabo de un rato, se quedó dormido como un cadáver en un sepulcro, con las manos entrelazadas sobre el pecho, aferradas al crucifijo de plata.

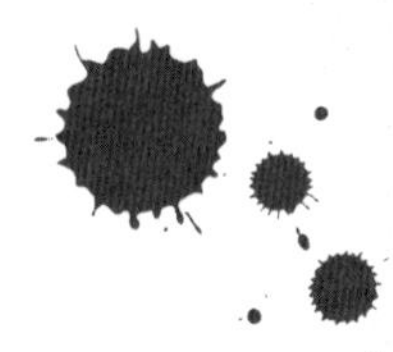

Capítulo IV

Sorbete de mango

Erik se despertó temprano, con el corazón intranquilo. De repente, le pareció escuchar una puerta que se cerraba. Abrió los ojos asustado. Tenía aún las manos entrelazadas sobre el pecho, sujetando la cruz que le regaló su tío. Durante unos segundos, alzó la cadena de plata y la observó pensativo. Luego, con expresión solemne, se la colocó alrededor del cuello.

¿Sería suficiente? ¿Bastaría con mostrar aquella cruz en el momento oportuno? La apretó entre sus dedos sudorosos. ¿Podría protegerle de Albert Zimmer? Estaba claro que no debía separarse de ella ni un solo instante. Frunció el ceño. Probablemente, en algún tratamiento del balneario le pidieran que se la quitara. Para un masaje, por ejemplo. En ese caso, se negaría e, incluso, renunciaría a la terapia. Cualquier cosa, antes que dejar su cuello libre y desnudo.

Consultó el reloj. Demasiado pronto para desayunar. Imposible volver a dormirse. ¿Qué hacer entonces? Se puso el bañador y sacó su propio albornoz del armario. Prefería no utilizar el del hotel. Aunque se tratase del Celeste Aida. ¿Quién más lo habría usado antes?... ¡A saber! No, no, mejor, sin duda, su albornoz color burdeos y sus zapatillas a juego.

Con mucha cautela, abrió la puerta de su dormitorio. El

pasillo estaba en completo silencio. No había ni rastro de Albert Zimmer. Cerró despacio y buscó el ascensor más cercano. Pulsó un botón y descendió a la zona de hidroterapia. Al llegar a su destino, las puertas del ascensor de cristal se deslizaron con suavidad y el joven salió de forma sigilosa. De modo inconsciente, se llevó la mano al crucifijo y lo agarró con fuerza.

Aparentemente no había nadie en aquella planta del hotel. Al menos, Erik Vogler no se cruzó con ningún empleado, ningún cliente. Más silencio. Caminó por un corredor que desembocaba en un espacio circular coronado por una gran bóveda transparente. Le llegó el rumor del agua que se deslizaba entre las figuras de una fuente de mármol. Varios pasillos se abrían en distintas direcciones a partir de aquel círculo enorme.

Paseando en torno a la *fontana*, leyó, uno a uno, los letreros que indicaban diferentes tratamientos. Se detuvo frente al cuarto y sonrió levemente. «PARAFANGOS». «Los lodos del Mar Muerto», recordó entonces. Y se adentró en un corredor más estrecho que le conduciría a ellos. No tardó mucho en localizar la puerta que buscaba. «NO PASAR». Ignoró la advertencia. Sus zapatillas color burdeos también lo hicieron. Descubrió entonces unos escalones que descendían hasta una pequeña terma repleta de barro. Se quitó el albornoz y lo colocó junto al borde de la piscina. Luego se descalzó y, poco a poco, fue entrando en el lodo. Cuando tenía el barro alrededor de la cintura, una voz repentina lo sobresaltó:

—¿Qué demonios haces aquí?

—¡Ahhh! —chilló Erik al mismo tiempo que levantaba los brazos aterrorizado.

—¿Por qué has entrado? —prosiguió—. ¿Acaso no has visto el cartel de la puerta?

–Yo... –acertó a decir mientras buscaba con desesperación de dónde provenían aquellas palabras.

–¿Se te ha comido la lengua el gato?

La misteriosa voz soltó una larga carcajada. El joven pensó en salir huyendo pero el barro le impedía avanzar.

–¡Ven, acércate! –le ordenó.

Erik se giró muy despacio. A su espalda, apoyada sobre el borde de la piscina, descubrió una cabeza. Era la cabeza de una anciana con turbante. Iba maquillada, con rímel en las pestañas y labios de un rojo intenso. Le recordó a las tortugas del zoológico. Inmensas, quietas y arrugadas.

–¡Venga, no te quedes ahí como un pasmarote! –rugió de nuevo–. ¡Acércame esa copa! –dijo señalando una bebida refrescante que alguien había puesto a su lado.

Cuando comprobó que el joven la obedecía y avanzaba entre el lodo con dificultad, añadió para justificarse:

–Estoy tan cubierta de barro que apenas soy capaz de moverme.

–... ¡Aquí tiene! –le ofreció aproximándole la copa y sosteniéndola frente a sus ojos.

La cabeza con turbante parecía molesta.

–¿No ves que no puedo sujetarla? –le espetó.

Se hizo un incómodo silencio. Él la contemplaba desorientado. ¿Qué se suponía que tenía que hacer? La anciana alargó el cuello y entreabrió la boca. Erik se estremeció.

–¡Mi sorbete! –exclamó furiosa.

Obligado por las circunstancias, el nieto de Berta acercó tembloroso la copa a los labios de la anciana, que esbozó una sonrisa.

–Es un sorbete de mango –le aclaró mientras estampaba las huellas de carmín en el borde del cristal y daba varios tragos–. ¿Quieres probar un poco? –le preguntó con coquetería.

—No, gracias —contestó intentado ocultar su repugnancia.

—¡Bebe, toma un sorbito!... ¡Está delicioso! —insistió.

Que no. Que él no iba a probar ni loco aquel sorbete con aquellos pegotes de pintalabios manchando la copa. Y mucho menos sabiendo que la saliva de aquella vieja flotaba en su interior. Jamás lo haría.

—¿Estás seguro? —le preguntó la anciana mientras se le acercaba a través del fango.

—Yo..., me tengo que ir —se excusó dejando la copa en el mismo lugar donde la había encontrado.

—¡Espera, quédate un poco más!

Debía salir de allí lo antes posible. La desconocida había alargado uno de sus brazos y avanzaba hacia él. Erik, por su parte, intentaba alcanzar la escalera de la terma. En plena huida, escuchó un quejido a su espalda, pero no tenía tiempo para girarse, solo para escapar. Lo único que deseaba era alejarse de aquella tortuga octogenaria. Los escasos metros que lo separaban de la salida se le hicieron eternos. Cada vez más cerca, escuchaba la respiración jadeante de la anciana.

De forma aparatosa, cuando habían alcanzado los primeros escalones, el cuerpo de la desconocida cayó sobre él. Erik resbaló y ambos se precipitaron sobre el albornoz color burdeos. Tras varios espasmos, la anciana se llevó las manos al cuello y se arrancó una joya cubierta de barro.

—¿Señora? —logró balbucear después de zafarse de sus brazos y piernas.

Armándose de valor, empujó a la anciana hasta dejarla tendida sobre el suelo, boca arriba. La desconocida abrió entonces los ojos de forma desmesurada, como si se le fueran a salir de las órbitas y, haciendo un tremendo esfuerzo, susurró la siguiente palabra:

–... Taormina.

–¿Perdone?

–Taor... mina –repitió justo antes de soltar un asqueroso espumarajo por la boca.

–¡Señora! ¡Señora! –la llamó sin atreverse a rozarla.

No obtuvo respuesta. Descubrió atemorizado que la mujer no pestañeaba, tenía la mirada perdida. El nieto de Berta ahogó un grito y se llevó aterrorizado las manos a la cara. Después de unos segundos de parálisis, sacó como pudo su albornoz de debajo del cadáver y salió corriendo como loco. En la sala de los parafangos solo quedaron la anciana del turbante y un sorbete de mango.

Capítulo V

El relato de Erik

Dejando un rastro de lodo tras de sí, huyó a través del corredor por el que había accedido a los parafangos. En varias ocasiones tuvo que detenerse para recuperar una de sus zapatillas o para sacudirse algún trozo de barro, de los muchos que le colgaban por todo el cuerpo como las estalactitas de una cueva.

Con la respiración entrecortada, aturdido por lo que acababa de presenciar, retomó su alocada carrera tantas veces como le fue necesario hasta que llegó a un ascensor. Allí lo contempló alucinado uno de los botones del hotel. ¿Quién era aquel tipo cubierto de pegotes de barro? ¿Qué hacía a esas horas con la cara pintada como un guerrero indio? ¿Y cuánta gomina se habría echado en ese pelo brillante y oscuro peinado con raya al lado?

–*Buon giorno* –saludó el empleado aparentando normalidad al verlo entrar en el ascensor–. ¿Dónde se dirige, *signore*? –le preguntó en una mezcla de inglés e italiano.

–A la planta baja, por favor –contestó Erik con excelente acento británico al tiempo que alzaba la barbilla y evitaba la mirada del hombre.

En realidad, ninguno de los dos se atrevió a observar al otro durante unos segundos. El nieto de Berta mantenía la frente alta, esforzándose por ignorar el barro que se escurría desde su bañador y se deslizaba por su entrepierna. El empleado, por su parte, no despegó la vista de la puerta del ascensor. Ni siquiera hablaron, ni mencionaron que se preveía un hermoso día de primavera. Y cuando llegaron a la planta baja, tampoco se despidieron, porque Erik echó a correr desesperado en busca de la recepción del hotel.

–¡Está muerta! –exclamó lanzándose sobre el mostrador.

–¿Disculpe? –preguntó sorprendida la encargada–. ¿Señor...?

–Vogler, Erik Vogler –contestó casi sin respirar.

–Sí, por supuesto, señor Erik Vogler. *Suite* Werther, ¿verdad?

–Sí, sí –respondió nervioso.

–Muy bien, señor Vogler, ¿en qué le puedo ayudar?

–Mire –comenzó de nuevo–, vengo de los parafangos. ¡Una señora acaba de morir en esa sala! –exclamó al ver que la empleada lo miraba con incredulidad.

–Lo siento. Los parafangos del Mar Muerto no están abiertos al público a estas horas –puntualizó.

–Ya, ya lo sé –reconoció–. Pero, bueno... –no sabía muy bien cómo justificarse–, lo cierto es que vengo de allí... ¿Acaso no me cree? –replicó exasperado.

–Por supuesto, señor Vogler –contestó para serenarlo–. Ahora, si es tan amable –sugirió–, le agradecería que no apoyara las manos en el mostrador.

–¿No lo entiende? –preguntó alzando la voz–. ¡Hay un cadáver en el balneario! –gritó en mitad del *hall*.

La voz del joven resonó como una bomba en la entrada del hotel. Los clientes que aguardaban sentados en butacas, los que esperaban cerca del mostrador de recepción, los que caminaban en dirección a la cafetería, incluso el botones que estaba a punto de trasladar el equipaje de una pareja francesa, se quedaron patidifusos. ¿Un cadáver en el balneario?

Desde uno de los pasillos, Albert Zimmer y Berta Vogler, que bajaban a desayunar en ese preciso momento, también escucharon el alarido de Erik y corrieron hacia él. ¿Qué diablos estaba ocurriendo? ¿Había dicho «cadáver»? ¿Y qué hacía su nieto con esas pintas? ¿No se suponía que estaría esperándolos para desayunar?

–Señor Vogler, tranquilícese, por favor –le rogó la encargada del hotel en un susurro.

–¡Le estoy diciendo la verdad y quiero que lo comprueben ahora mismo! –le ordenó inclinándose aún más sobre el mostrador.

–¿Qué quieres que comprueben? –le interrumpió Berta.

–¡He visto morir a una señora en los parafangos!

Y, dirigiéndose a la empleada, ordenó fuera de sí:

–¡Llamen inmediatamente a la policía!

–Erik, Erik... ¡Cálmate! –le rogó su abuela tomándole por los hombros y alejándole de la recepción.

–¡Creo que la han asesinado! –soltó al acordarse del sorbete.

Los clientes, que permanecían enmudecidos en la recepción del hotel, escuchaban la conversación con descaro y se miraban aturdidos.

–¿Qué estás diciendo, Vogler? –se interesó Albert Zimmer.

–¡La han envenenado!

–¿Cómo? –preguntó intrigado.

–Con un sorbete de mango –recordó–. ¡Dios mío, estuve a punto de beber de esa copa!

Los huéspedes del hotel se movieron hacia delante en sus butacas. Ni siquiera parpadeaban. La mayoría había depositado las agendas electrónicas en su regazo, otros permanecían de pie tan quietos como las estatuas de los emperadores. Mientras tanto, la encargada de la recepción telefoneaba al móvil del director del balneario y le advertía de lo que estaba ocurriendo en la planta baja.

–¿Mis invitados? ¿Un cadáver?... –repitió sorprendido Roberto Vasari–. Sí, sí... voy enseguida.

Cuando la abuela de Erik vio aparecer a su amigo, suspiró aliviada. En la recepción reinaba un silencio expectante. A esas alturas, el director del hotel comprendió que la discreción era imposible. Así que se dirigió a sus huéspedes y besó con galantería la mano de Berta. La reputación del balneario estaba en juego. Y aquel joven podía destruirla si persistía en la historia que le estaba contando.

–¿Estás seguro? –le preguntó el director cuando Erik finalizó su relato.

–Completamente, señor.

–Está bien. Iremos a esa sala, entonces. Acompañadme, por favor.

Consciente de que un gran número de clientes los seguían a una distancia prudencial y de que aquella noticia podía arruinar la fama del Celeste Aida, el director los condujo por otros corredores hasta la sala de parafangos. En aquel laberinto subterráneo, atravesaron varias saunas y la zona de masajes, el baño turco, distintas piscinas de tratamientos termales y, por fin, se detuvieron delante de una puerta. «PARAFANGOS».

Capítulo VI

Único testigo

Erik respiró hondo. Cuando atravesaran el umbral volvería a contemplar el cadáver de la anciana del turbante. Estaría tumbado boca arriba y cubierto de barro. Con los ojos abiertos y esa expresión de asombro que le había horrorizado. Tal como lo abandonó. El murmullo de huéspedes, que los había acompañado a través de las galerías, cesó y dio paso a un silencio sepulcral. «PARAFANGOS». Todas las miradas se concentraron en esa palabra.

El director del hotel abrió la puerta muy despacio. Erik, Berta y Albert asomaron sus cabezas detrás de él. Allí estaba la terma, la escalera de piedra por la que había descendido el joven, unos taburetes apoyados en la pared, varias duchas...

–¿Y el cadáver? –preguntó en voz baja Zimmer.

No había ni rastro de la anciana, ni del sorbete de mango. El nieto de Berta no daba crédito. ¿Cómo se habían esfumado? ¿Quién se había llevado su cuerpo?

–¡Estaba aquí! –exclamó Erik adelantándose al director y entrando en tromba en la sala–. ¡Allí dejé la copa con su bebida! –añadió señalando un lugar vacío al borde de la piscina.

–Ahí no hay nada –objetó el director–. Además, a estas

horas, las instalaciones no están abiertas para nuestros clientes –les informó.

–¡Ella..., ella cayó aquí mismo! –siguió Erik aún más nervioso–. ¡Os lo juro!

Sin embargo, el suelo relucía impecable. No había ni una sola mancha de barro, ninguna huella. Nada. Los clientes del hotel comenzaron a retirarse al advertir que la noticia parecía falsa. La versión de un niñato enloquecido, una broma macabra, una mentira de mal gusto. Muchos de los huéspedes, que esperaban el hallazgo del cadáver, se marcharon decepcionados.

Berta Vogler se frotó la barbilla con fuerza. Lo hacía siempre que estaba preocupada. Miró a su nieto, que seguía repitiendo su historia con obstinación. En esta ocasión, acompañada de más detalles. Una anciana con un turbante verde, voz grave y demasiado rímel en las pestañas que le ofrecía un sorbete de mango envenenado. Y, mientras veía a Erik explicando a Albert y al director del hotel cómo la desconocida había caído sobre él, se preguntó si los crímenes de Bremen le habrían afectado demasiado. Y, si alguna vez, se recuperaría de aquel trauma.

–¿Te dijo, al menos, cómo se llamaba? –se interesó Roberto Vasari.

–No –reconoció–. Solo me dijo una palabra: «Taormina».

–¿Taormina? –preguntó extrañado Zimmer–. ¿Qué significa eso?

–Es una ciudad de Sicilia –aclaró Berta Vogler.

–La repitió dos veces antes de morir –explicó Erik.

–¿Sabes en qué habitación se alojaba? –le inquirió el director del balneario.

–Ni idea... Bueno..., tampoco se lo pregunté –se justificó.

–¿Te acuerdas de algún detalle más? –le preguntó Zimmer intentando ayudarle a recordar.

–¡Llevaba un bañador negro! –soltó de pronto como si aquello pudiera resultar útil o convincente.

–¡Basta, Erik! –bramó su abuela–. ¡Aquí no hay nadie!

Allí no había nadie. Nadie salvo Berta Vogler y su nieto, Albert Zimmer, el director del hotel y dos empleados, un distinguido hombre que rondaría los cincuenta años junto a su madre, una anciana que caminaba con ayuda de un bastón, dos actores con acento francés, un joven matrimonio alemán y, por último, Valentina Pantaleoni, una cantante de ópera retirada de los escenarios. Pero ninguno era un cadáver. Al menos, no lo eran aquella mañana de domingo.

–¡Os juro que estaba en el suelo! –chilló Erik con impotencia.

–¡Ven! –le ordenó su abuela apartándolo del resto del grupo y llevándolo hacia las duchas–. ¡Deberías quitarte de encima todo ese barro y descansar en tu habitación!

–Pero...

–¡Para ya con esa absurda historia de la mujer del turbante! –susurró la abuela esforzándose por controlar su genio–. ¿No ves que estamos haciendo el ridículo?

–¡Abuela, te prometo que quiso seducirme con un sorbete de mango!... Ella me ofreció...

–¡No sigas! ¡Estás delirando! –le interrumpió con brusquedad–. ¡Dame tu albornoz ahora mismo y ponte bajo el grifo!

El agua estaba helada pero su abuela no tuvo piedad. Un fuerte chorro vertical acabó con el peinado del joven en un instante. Mientras la gomina y el barro se deslizaban por la piedra oscura de la ducha, aguantó la respiración. Al poco tiempo, otros dispositivos se accionaron a diferentes alturas y hasta cinco chorros a presión le sacudieron los muslos, el cuello, la espalda y el pecho. Aquel suplicio hidrotermal se le hizo infinito. Primero, con agua gélida; luego, caliente casi hirviendo. No pudo reprimir varios gritos de dolor. Ardía. Y, para terminar, sin previo aviso, de vuelta a los chorros polares que le erizaron todos los pelos del cuerpo.

—Me han traído este albornoz para ti —le informó su abuela cuando la ducha hubo acabado.

—Yo, preferiría...

—¡Tu albornoz está hecho una pena! —le cortó tajante—. ¡Ponte este y no seas tiquismiquis!

Obligado por las circunstancias, se colocó el nuevo albornoz. Pero, a pesar de la insistencia de una de las empleadas del balneario, se negó a que se llevaran el suyo a la lavandería. Él se haría cargo. Porque aquel albornoz burdeos, a juego con las zapatillas, se lo había traído su tío de un viaje a Turquía y lo lavaba con un producto orgánico y oxigenante, especial para aquel tipo de prendas.

—¿Te encuentras mejor? —le preguntó el director del hotel al verlo salir de la ducha.

El nieto de Berta hizo una mueca. ¿Mejor? ¿Cómo podía encontrarse mejor? Nadie le había creído. No le habían hecho ni caso. Más bien, al contrario, lo habían tomado por un chiflado. O por un mentiroso. Su abuela, seguramente, pensaría que estaba como una regadera. Se sentía incómodo rodeado por aquellas personas que lo observaban sin pudor. Valentina Pantaleoni lo contemplaba con suma curiosidad. Roberto Vasari y su abuela parecían preocupados. El señor y su anciana madre tampoco le quitaban la vista de encima y seguían con atención cada uno de sus movimientos, al igual que los dos empleados del hotel. Aunque no dijo nada, Albert Zimmer reparó entonces en el crucifijo de plata que Erik llevaba alrededor del cuello.

–Ya está mucho mejor, ¿a que sí? –contestó su abuela en su lugar–. Ahora, si nos disculpáis –prosiguió tomando a su nieto por la manga del albornoz–, será mejor que subamos a nuestras *suites*. ¿Nos acompañas, Albert?

–Claro, por supuesto –contestó apartando los ojos de la cruz de Jerusalén.

De camino al ascensor, Erik seguía ensimismado. ¿Dónde se hallaba el cadáver de aquella vieja? ¿Quién le había servido el sorbete de mango? ¿Por qué querían matarla? No había sido ninguna alucinación. Estaba seguro de que había hablado con ella. No se trataba de una confusión, ni de una visión fruto del cansancio, ni de la tensión de las últimas semanas.

Había sido testigo de un terrible suceso. Y tenía claro que alguien había muerto en el balneario. Tan claro como la composición de una mascarilla hialurónica termoactiva. Aunque no hubiera ninguna pista en la sala; aunque nadie supiera a qué huésped se refería; aunque ignorara su nombre y la *suite* en la que se alojaba. Él sabía que se había cometido un crimen. Tal vez, muy cerca estuviera el asesino de la desconocida de los parafangos. O acaso varias personas eran las responsables de su muerte.

¿Cómo averiguarlo? No había más testigos que apoyasen su versión. No sabía quién había muerto, ni por qué. Sin embargo, alguien se había deshecho del cuerpo y del sorbete mortal en muy poco tiempo. Alguien quería ocultar un asesinato y lo había conseguido.

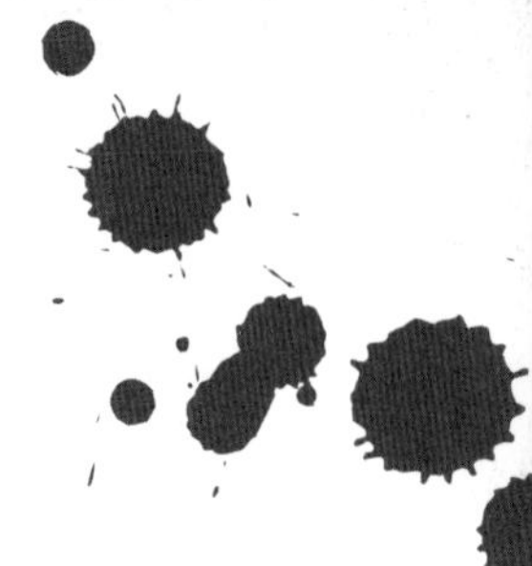

Capítulo VII

La hipótesis de Albert Zimmer

Tras despedirse y excusarse con el director del hotel y algunos empleados, decidieron regresar a la habitación de Erik. El joven iba pegado a su abuela, evitando la cercanía de Albert Zimmer en el ascensor y, de cuando en cuando, tomando el crucifijo entre sus dedos y mostrándolo con disimulo. Berta Vogler, rumiando aquella historia increíble que acababa de contar su único nieto. Y los tres, preguntándose qué habría sucedido realmente en la sala de los parafangos. Sumidos en esas cavilaciones, llegaron a la planta en la que se alojaban.

–¿Dónde habrán metido el cadáver? –preguntó Erik pensativo nada más salir del ascensor–. Apenas han tenido tiempo para sacarlo de los parafangos. Debe de estar oculto en algún lugar del balneario. Pero ¿dónde?... –reflexionó en voz alta.

–No hay ningún cadáver –le interrumpió su abuela intentando zanjar el asunto.

–¡Yo lo vi!

–¡No viste nada! –exclamó Berta–. ¡¡Nadie ha visto nada!!

–¡¡Hablé con ella!! –protestó rabioso–. ¿Por qué no me crees?

—Porque no había ningún cadáver, Erik. Porque la sala estaba cerrada a esas horas, porque nadie ha visto a la mujer de la que hablas. ¿Cuántas veces quieres que te lo repita?

Pero Albert Zimmer estaba intrigado y, aunque pensaba que Erik era bastante friki y un exagerado, no lo imaginaba capaz de inventarse su increíble encuentro con la anciana del turbante. ¿Y si le hubiesen gastado una broma de mal gusto o aquello formase parte de un plan siniestro? En cualquier caso, descartaba que hubiera sido el único testigo de un asesinato.

—¿Y si no hubiera muerto...? —planteó de pronto para asombro de sus dos interlocutores.

—¿Qué quieres decir? —preguntó Berta con curiosidad.

—¿Y si hubiera fingido su propia muerte?

—¡Estaba muerta! —aseguró Erik deteniéndose en el pasillo y cruzándose de brazos.

—¿A qué te refieres, Albert? —le animó la abuela ignorando por completo a su nieto.

—Supongamos, por ejemplo —empezó el joven caminando despacio junto a la abuela de Erik—, que quería que alguien pensara que había muerto.

—¿Para qué? —dijo ella bajando la voz.

—No tengo ni idea... Quizá le interesaba por algún motivo y utilizó a Erik para que contara la noticia. ¿Y si entre los clientes del hotel hubiera alguno que deseara su muerte?

—¿Tú crees?

—Bueno, es solo una hipótesis. Eso explicaría que la sala se encontrase vacía cuando llegamos.

—¡¡Estaba muerta!! —gritó molesto Vogler apresurándose a alcanzarlos.

Al escucharlo, ambos giraron la cabeza contrariados. Albert, porque había interrumpido sus conjeturas. Y Berta, porque el discurso del joven le parecía muy interesante, mucho más que la estridente voz de su nieto.

–Te esperamos aquí, Erik –saltó de repente la abuela que se había detenido en mitad del pasillo de la tercera planta–. Entra en tu habitación y vístete para el desayuno. ¡No tardes! –le ordenó.

Después, mirando a Albert con expresión solemne sentenció:

–Me parece que Erik no ha superado la pesadilla de Bremen y que esta historia es fruto de su imaginación. Deberías ayudarme a que olvide este asunto lo antes posible.

–De acuerdo.

–Y no quiero que lo pierdas de vista. Podría meterse en más líos –agregó mirándole con seriedad.

–Lo vigilaré, se lo prometo.

Mientras Erik depositaba con delicadeza su albornoz color burdeos en una repisa del baño de la *suite* Werther, mientras contemplaba su rostro en el espejo y se recomponía el peinado, en otro lugar del balneario, dos personas, sentadas en unas butacas de terciopelo gris, hablaban entre ellas en voz queda y solo cuando el camarero que les servía el desayuno se alejaba de su mesa. Tenían un semblante serio y parecían muy inquietas.

–¿De verdad que no lo tenía?

–No, no lo tenía.

–¡No puede ser!

–Te lo aseguro.

–¡Imposible!... Ella lo trajo consigo al balneario. Lo vimos cuando salía de su habitación esta mañana. Lo llevaba colgado al cuello.

–Pues no estaba en su cuello. Tampoco en su bata.

–¿Y en el suelo?

—Ni rastro. Me dio tiempo de mirar incluso dentro las duchas. Pero no vi nada. Nada de nada.

—¿Crees que se le pudo caer en la terma de los parafangos?

—Cabe la posibilidad, pero no..., no lo creo.

—¿Entonces?

—Me parece que se lo entregó a ese chico.

—¿A quién?

—¡A quién va a ser!... Al histérico que estuvo con ella antes de morir y que viste en la recepción.

—¿Eso piensas?

—Bueno, quizá ella no se lo diera.

—¿Estás sugiriendo que se lo robó?

—¿Por qué no?... Son las dos únicas opciones que se me ocurren en este momento: la vieja le entregó el camafeo de manera voluntaria o ese niñato se lo quitó antes de avisar a nadie, antes de que yo entrara en la sala de los parafangos.

—En ese caso, si lo tuviera ese chico, ¿qué hacemos para recuperarlo?

—Yo lo solucionaré, déjalo en mis manos. No te preocupes.

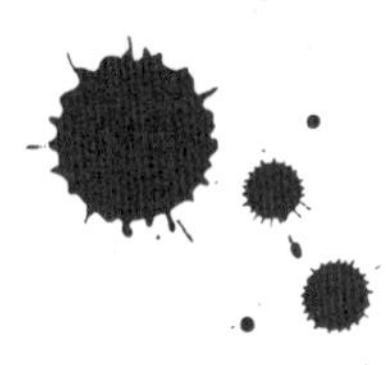

Capítulo VIII

El baño turco

Durante el desayuno, Berta Vogler insistió para que Erik disfrutase de su programa de tratamientos termales como si nada hubiera ocurrido. Y, aunque a la mente de su nieto acudía sin cesar la anciana del sorbete de mango, consiguió convencerle para que subiera a su habitación, se pusiera el albornoz del Celeste Aida y fuera al baño turco donde recibiría un masaje exfoliante. Siguiendo las indicaciones de Berta, Albert tampoco mencionó el tema del cadáver y se dedicó a perseguir con la mirada a una hermosa chica, de cabellos rojizos, que cruzaba el salón donde estaban desayunando.

«BAÑO TURCO». Erik se detuvo frente a la puerta. Once menos cuarto de la mañana. Llegaba pronto a su cita, demasiado pronto, como acostumbraba desde pequeño. Porque Vogler era «archipuntual», así lo definía su abuela, y solía presentarse al menos quince minutos antes de la hora fijada. La puerta del baño turco se abrió de forma repentina. Del interior, envuelto en una nube de vapor, apareció un señor enorme, de barriga infinita, reluciente calva y bigotes de morsa.

–*Good morning* –murmuró.

El nieto de Berta le devolvió el saludo y con un gesto le agradeció que le sostuviera la puerta para entrar.

Inmerso en la niebla, el baño turco estaba recubierto por multitud de teselas de colores que imitaban los mosaicos romanos y bizantinos. Había allí un silencio que se asemejaba al de las iglesias vacías. Mientras se quitaba el albornoz, Erik se sentó en una grada situada en el centro de la sala y aguardó la llegada de su masajista. Cerró los ojos durante unos minutos. Al fin, un poco de calma. Sin Albert, sin su abuela, sin la extraña del turbante... Respiró profundo y esbozó una sonrisa de alivio. Pequeñas gotas de sudor se deslizaban por su frente. Al fondo, escuchó un leve sonido, el de una puerta que se abría. No era la que había utilizado Erik para acceder al baño turco. Permaneció inmóvil a la espera. Sin duda, se trataba de su masajista.

La sala volvió a quedarse en silencio. El nieto de Berta imaginó entonces una voz que le diera la bienvenida, que le indicara si debía o no tumbarse, que le ofreciera agua mineral sin gas. Porque le estaba entrando una sed espantosa y, en esas condiciones, no iba a disfrutar del masaje. Abrió los ojos y miró a su alrededor. No distinguía nada más allá del blanco del vapor y de las diminutas porciones de mosaicos que aparecían y desaparecían como barcos entre la niebla.

–*Buon giorno!* –exclamó Erik con un dudoso acento italiano.

Nadie respondió. No le habrían oído. Extrañado, repitió el saludo elevando el volumen de su voz. Silencio.

–Soy la cita de las once de la mañana –aclaró entonces en perfecto inglés–. Me corresponde un masaje exfoliante.

De pronto, sintió las manos de alguien que se posaban sobre sus hombros. Cerró los párpados. Era su momento, el momento de relajarse, de olvidarlo todo. Los dedos del desconocido recorrieron sus hombros y buscaron su blanco cuello. El nieto de Berta dejó escapar un suspiro de alivio.

–¡Ahí, ahí tengo mucha tensión..., en las cervicales! –le explicó.

Sin embargo, para su sorpresa, el presunto masajista lo agarró bruscamente del cuello y lo atenazó con sus potentes brazos. Las puntas de los dedos de los pies de Erik dejaron de tocar el suelo. Sintió que le faltaba el aire y se aferró a los antebrazos peludos que lo sujetaban con fuerza, luchando para que no lo asfixiaran.

–¡AGGGGG!... ¡No puedo..., no puedo respirar!

–¿Dónde lo escondes? –preguntó el desconocido aflojando la presión que ejercía sobre su víctima.

–¿El qué? –consiguió preguntar después de tomar un poco de oxígeno.

–¿El qué?... ¡No te hagas el tonto!... Ya sabes a qué me refiero. ¿Dónde lo has guardado?

–... ¡No, no tengo ni idea!... ¡AGGGGG!

–¡Queremos lo que te dio la vieja!... ¡¡Es nuestro!! ¿Lo entiendes?

–¿La vieja? –repitió aterrorizado.

–¡La de los parafangos!

–... ¡No me dio nada!... ¡AGGGGG!... ¡Se lo prometo!... ¡No sé de qué me está hablando!

–Por supuesto que lo sabes... Fuiste la última persona con la que estuvo. ¡Me da igual si te lo entregó o si se lo robaste!... ¡¡Lo único que quiero es que nos lo devuelvas!!

–... ¡¡AGGGG!!... ¡Suélteme, por favor!

–¿O quieres acabar como la vieja? –le soltó a bocajarro apretándole con más fuerza el cuello.

–¡¡No, no!!

–Ahora, vas a ser buen chico y me vas a dar la llave de tu habitación.

–¡Vogler!... ¿Estás ahí? –preguntó inesperadamente una voz desde la puerta principal del baño turco.

–¡AGGGG!

–¿Vogler?... ¿Eres tú? –insistió Albert avanzando entre el vapor de agua.

Era la primera vez que Erik se alegraba de escuchar esa voz. Aunque nunca lo reconocería en público, aunque jamás lo admitiría porque, entre otras cosas, Zimmer le resultaba insoportable. Sin embargo, por unos segundos, agradeció su providencial entrada en el baño turco. A pesar de sus greñas, de su mirada glacial, de su pose altanera, era mejor que morir asfixiado. Tan pronto como el joven se internó en la sala, los brazos peludos que rodeaban a Erik desaparecieron entre la niebla. El nieto de Berta cayó bruscamente sobre la grada y empezó a toser al mismo tiempo que se llevaba las manos al cuello.

–¿Vogler?... ¿Estás bien? –le preguntó perplejo–. ¿Qué te ocurre?

Erik levantó muy despacio la mirada hasta que se topó con los ojos de Albert Zimmer, que lo observaban con curiosidad.

–Han intentado matarme.

–¿Qué has dicho?

–... ¡Que han intentado matarme! –repitió con fastidio.

–¿Quién? –se interesó acercándose más a él.

–¡Yo qué sé!... ¡Ni siquiera le vi!... ¡No podría reconocerlo aunque me cruzara con él por el pasillo! –replicó levantándose de la grada–. ¡Lo único que quiero es salir de aquí!

–Dime qué ha pasado –exigió Zimmer.

–Trató de estrangularme.

–¿A ti? –preguntó sorprendido–. ¿Por qué?

–... Piensa que tengo algo que le pertenece.

–¿El qué?

–¡Ni idea! ¡Déjame pasar!

–Bueno, bueno, tranquilo –repuso levantando los brazos y apartándose de su camino.

Tras el nieto de Berta que cruzó junto a él, aferrado a su crucifijo de plata, Albert buscó sus pasos entre las nubes de vapor.

–¿Qué haces? –preguntó enfadado Erik al darse cuenta de que lo estaba siguiendo.

–Te acompaño.

–¡Lárgate, no quiero que vengas conmigo!

–Lo haré, seré tu sombra –replicó con seguridad–. Además, tu abuela me pidió que no te dejara solo ni un momento. Y, ya ves, Vogler –concluyó con ironía–, si me llego a despistar un poco más, te encuentro fiambre en el baño turco.

Capítulo IX
Un regalo inesperado

Zimmer no estaba dispuesto a separarse de Erik bajo ningún concepto. Se lo había prometido a su abuela y cumpliría con su palabra. Así que ambos tomaron un ascensor de regreso a la *suite* Werther. Una vez que subieron hasta su planta, Vogler avanzó unos pasos, se detuvo y miró a su alrededor para comprobar que nadie los seguía. Varios clientes pasaron cerca de ellos sin prestarles atención. Todo parecía normal. Sin embargo, Erik permanecía inmóvil como las estatuas de mármol que decoraban el Celeste Aida.

–¿Se puede saber qué haces ahora? –le preguntó Albert con impaciencia.

–Nada –murmuró con la boca seca–. Seguramente, ese hombre sabrá dónde me alojo –afirmó espantado.

–¿Ese hombre?

–El del baño turco, el que ha intentado asesinarme. Quizá me esté esperando junto a mi habitación, qué se yo...

–¡Venga, venga, Vogler! –le interrumpió tomándolo por el brazo derecho–. ¡No te va a pasar nada!... ¡Yo te acompañaré!

–No me crees, ¿verdad? –preguntó con fastidio.

–Sí te creo –mintió.

–¡No es cierto!... –contestó encolerizado–. Tú piensas que estoy como una cabra... ¡Reconócelo!

–Tal vez.

–¡Piensa lo que te dé la gana! –replicó muy ofendido–. ¡Me importa un pimiento!

–Vale, vale... Supongamos que, aunque yo no lo haya visto, un desconocido ha intentado asfixiarte en el baño turco. ¿Por qué querría matarte?

–¡Ya te lo he dicho! –exclamó irritado–. ¡Quieren que les devuelva algo!

–¿Algo?

–¡Sí, algo que, según ellos, me dio la vieja!

–¿Qué vieja?...

–¡La del turbante!

–¡Ah, ya...! ¿No es ese el cadáver que no aparece por ninguna parte? –preguntó con sarcasmo–. ¿Y qué te dio antes de morir?... ¿Un beso de amor eterno?

–¡¡Basta!! –chilló enfurecido el nieto de Berta.

El grito de Erik alarmó a los huéspedes que aguardaban la llegada del ascensor de cristal. Entre ellos, estaba la soprano Valentina Pantaleoni, que lo reconoció al momento. Era, sin lugar a dudas, el mismo joven que había gritado en la recepción del hotel, el mismo que les había conducido a la sala de los parafangos y que decía haber sido testigo de una misteriosa muerte. Allí estaba, sudoroso, pálido, casi tan blanco como su albornoz y, de nuevo, al borde de un ataque de nervios. «Pobrecillo», pensó la cantante de ópera antes de entrar en el ascensor.

–Venga, vámonos de aquí –le apremió Albert en plan conciliador.

Todavía crispado, caminó con el joven de melenas rebeldes hacia el pasillo donde estaban alojados. Definitivamente, no lo soportaba. Zimmer era un presuntuoso, se atrevía a dudar de su versión, cuestionaba la existencia de la vieja del turbante y tampoco creía que alguien le había amenazado de muerte. Sin embargo, ante la posibilidad de reencontrarse con el desconocido del baño turco, escogió la inquietante compañía del joven de los largos colmillos.

Cuando llegaron a la *suite* Werther, el nieto de Berta suspiró aliviado. No había nadie en el pasillo. Se despidió de su acompañante con un escueto «hasta luego». Pero, para su asombro, Albert sostuvo la puerta de la habitación antes de que se cerrara.

–Entro contigo.

–Pero... –intentó protestar.

–Si lo que dices es verdad, podría haber alguien escondido en la *suite* –murmuró Zimmer.

El corazón de Erik dio un vuelco. ¿Alguien dentro de su dormitorio?... Ni se lo había planteado. Volvió la cabeza y miró aterrorizado por encima de su hombro. ¿Acaso se escondería en el cuarto de aseo? La puerta estaba entornada. ¿Podía estar oculto detrás de ella, en silencio, a la espera de que cayera en sus garras? Dejó pasar a Albert. Su presencia le resultaba incómoda pero se sentía protegido por el crucifijo de Jerusalén. A fin de cuentas, en el caso de que Zimmer estuviera en lo cierto, entre los dos serían capaces de enfrentarse con el asesino.

En la *suite* Werther reinaba el silencio. No había nada que hiciera sospechar la presencia de un extraño. Sin embargo, los dos jóvenes avanzaron hacia el cuarto de baño con precaución. De forma disimulada, Vogler se colocó detrás de Albert. La puerta de madera oscura permanecía entreabierta. Apenas dejaba ver una mínima parte de la enorme bañera de hidromasaje y de la escalera de madera tropical por la que se subía a ella. La respiración de Erik se aceleró cuando Zimmer se aproximó a la puerta y la empujó con fuerza. Ambos se quedaron muy quietos, a la espera de que ocurriera algo sorpresivo. No obstante, nadie se abalanzó sobre ellos, tal y como había imaginado Erik, ni se ocultó tras la puerta para atacarlos por sorpresa.

En su lugar, vieron una orquídea naranja sobre la encimera en la que se situaban los dos lavabos de porcelana y las velas aromáticas que decoraban la entrada a la ducha. Todo estaba igual, como lo había dejado antes de acudir al baño turco. En una de las repisas de madera se hallaba el albornoz que le regaló su tío Leonard.

–Bueno, al menos, no han entrado en tu *suite* –comentó Albert sentándose en uno de los escalones de acceso a la bañera.

–Ya, pero no estoy a salvo. Pueden venir a por mí en cualquier momento. Ni siquiera sé lo que están buscando.

–¿De verdad no te dio nada antes de desaparecer?

–Que yo sepa, no. Y no desapareció; se murió –matizó.

–Te lo pudo entregar sin que te dieras cuenta. ¿Tuvo la oportunidad de acercarse a ti?

A la mente de Erik regresó entonces una imagen. La anciana del sorbete cayendo sobre él como un elefante, cubierta de barro, manchando su precioso albornoz de Estambul. Su hermoso y delicado albornoz color burdeos.

–El albornoz... –dijo de pronto.

Antes de que Albert reaccionase y formulara una nueva pregunta, el nieto de Berta corrió a la repisa y tomó la prenda entre sus manos. Los bolsillos. Sí, a lo mejor había algo dentro de ellos. Intentó aparentar calma, sin embargo, no lo consiguió porque sus dedos se movían con torpeza. Introdujo la mano en el del lado derecho. Rebuscó con inquietud creciente.

–¿Hay algo? –preguntó Albert levantándose del escalón en el que se había sentado.

–¡No! –gruñó.

–Mira en el otro, quizá en el otro haya...

–¡Ya lo sé! –protestó–. ¿Me puedes dejar tranquilo un segundo?

Solo quedaba una posibilidad: el bolsillo izquierdo. ¿Estaría allí el motivo por el que lo habían amenazado de muerte? ¿Se había llevado algo que no le pertenecía? Metió su mano en el interior y, de repente, sus dedos se enredaron en una cadena y tropezaron con un objeto ovalado. Al ver su cara de asombro, Albert no fue capaz de contenerse:

–¿Lo tienes?

Asintió con la cabeza. Lo tenía. No sabía qué era pero estaba seguro de que guardaba una estrecha relación con la muerte de la anciana y con las amenazas del baño turco.

–¿A qué esperas? –preguntó intranquilo Zimmer–. ¡Déjamelo ver de una vez!

Erik sacó el objeto del bolsillo, lo levantó con mucha suavidad y lo llevó a la altura de sus ojos. De la larga cadena de oro, pendía una antigua joya. Se trataba de un camafeo romano en el que aparecía una mujer de perfil cubierta por una túnica semitransparente.

Capítulo X

El camafeo romano

Contemplaron en silencio la joya que se balanceaba ante sus ojos. Pensaron que parecía muy valiosa.

–¿Qué?, ¿me crees ahora? –preguntó con arrogancia–. Aunque mi abuela piense que sigo traumatizado por los crímenes de Bremen, aunque no haya ningún cadáver y los clientes del hotel crean que estoy loco, sé que ha ocurrido un crimen en el balneario. Y aquí tengo la prueba de que esa mujer existió.

–Vale, vale... –reconoció Albert.

–¡Fui el único testigo de un asesinato! –sentenció acercando el camafeo a las narices del joven.

–De acueeerdo.

–¡Y además han intentado matarme!

–Que sí, que te creo.

–Me merezco una disculpa –exigió con cara de ofendido.

–Venga, Vogler, déjate de chorradas –le regañó–. Así que esto es lo que anda buscando el tipo del baño turco –dijo para cambiar de tema–. Seguro que piensa que se lo robaste a la vieja del sorbete –sentenció al tiempo que acercaba su mano huesuda y gélida al colgante.

Y, a continuación, apuntó, refiriéndose a la figura femenina del camafeo:

–Yo diría que es Venus. ¿Qué opinas?

Vogler lo observó perplejo. Sabía que era un consumado ajedrecista. Eso ya se lo había demostrado en Grasberg. Pero... ¿también entendía de arte y de mitología?

–Sí, seguramente. Podría tratarse de la diosa del amor –reconoció depositando la joya en la palma de su mano izquierda.

–Yo creo que es una antigüedad y que debe de costar una pasta gansa si alguien está dispuesto a matarte por ella, ¿no?

El nieto de Berta tragó saliva.

–¿Sí...?

–¡Estoy seguro! –exclamó Albert–. ¿Y si se cargaron a la vieja para conseguir el camafeo?

–¿Eso piensas?

–¿Por qué no? Tú contaste que había un sorbete de mango... Bien, partimos de la base de que estaba envenenado y de que alguien había trazado un plan para asesinar a la vieja. Se trataría de un veneno muy potente, casi instantáneo. Ella se lo bebe y cae sobre ti. Justo antes de morir, la joya que llevaba al cuello va a parar al bolsillo de tu albornoz. El desconocido del baño turco entra inmediatamente después de verte salir de la sala de los parafangos. Mientras tú vas a la recepción del hotel, él se acerca al cadáver y descubre que el camafeo ha desaparecido. Así que se deshace del cuerpo. Tiene poco tiempo, pero resulta suficiente para borrar las huellas del crimen. A partir de entonces, las sospechas recaen sobre ti. Tú has sido quien ha hablado con la víctima por última vez así que deduce que te has llevado la joya o que la vieja te la entregó por algún motivo personal.

–El hombre que me amenazó hablaba en plural...

–Tendrá uno o más cómplices en el balneario o fuera de él.

–Entonces, ¿la mataron por esta joya?

–Si están tan desesperados por recuperarla, podría ser el motivo del crimen.

El nieto de Berta fijó sus ojos castaños en el objeto que sostenía sobre la palma de su mano. La figura de color crema estaba tallada en una piedra de ónice, el relieve destacaba sobre un fondo negro y estaba montado sobre una base de oro adornada con pequeñas esmeraldas y rubíes. Posteriormente, un joyero había engarzado el camafeo original a una cajita dorada, también de forma oval.

–¡Ábrela! –lo animó Albert.

–Ya voy, ya voy...

Pulsó un diminuto botón con el dedo índice. La tapa de la cajita se abrió hacia un lado y mostró lo que ocultaba. Por un instante, se quedaron petrificados. No podían creérselo. Debajo de aquel delicado relieve, del oro, las esmeraldas y los rubíes, había una fotografía que despertó su curiosidad.

–¡¡Qué perro tan feo!! –exclamó Zimmer.

–Es un chihuahua de pelo corto –puntualizó.

–Pues es terrible –insistió sin desviar la mirada de la foto que lo retrataba–. No creo que este chucho nos dé muchas pistas sobre su dueña. ¿Hay alguna inscripción en la parte posterior del camafeo?

El nieto de Berta cerró la cajita dorada y la giró con cuidado. Nada, tan solo el grabado de una flor.

–Bueno, tenía un perro, un chihuahua de pelo corto, para ser más exactos. Debía de querer mucho a su mascota para llevarla dentro de esta joya. Bien, Vogler, en resumen: a tu dama del turbante le gustaban los sorbetes de mango, las piedras preciosas, colarse en salas del balneario que estaban cerradas al público, la palabra *Taormina* y los chihuahuas marrones de pelo corto.

De pronto, Erik se quedó como ausente, con la mirada

perdida. Había recordado a la huésped que llegó por la noche a su habitación. Habían pasado solo unas horas, fue a la una de la madrugada, cuando se levantó porque había escuchado un ruido y no conseguía conciliar el sueño. Al fondo, en la última puerta del pasillo, estaba aquella mujer con tocado malva, elegante traje de chaqueta y chihuahua bajo el brazo.

—Yo he visto a este perro antes —afirmó convencido mirando fijamente su fotografía.

—¿Dónde?

—¡Aquí, en el balneario! —exclamó con seguridad—. Fue anoche —explicó—, no me podía dormir y me asomé al pasillo. Descubrí a una señora, no pude distinguir bien su cara porque estaba de perfil y, además, llevaba un sombrero. Pero me fijé en el perro que sujetaba en su brazo. Lo vi justo antes de encontrarme contigo.

—¿Y?

—¡Era un chihuahua de pelo corto y del mismo color!

—¿Entonces...?

—La señora que han asesinado en los parafangos —concluyó con lentitud— era la misma que vi en el pasillo de madrugada.

—En tal caso, se alojó en el hotel al menos durante la pasada noche.

—Exacto.

—¿Y dónde está su perro?

—Ni idea... Posiblemente la espere en la *suite*.

—Bueno, si sabemos la habitación en la que durmió, seremos capaces de averiguar su identidad. Tiene que estar registrada en el hotel como el resto de los clientes.

—¿Qué propones? —le preguntó Erik mientras cerraba el camafeo y salía del cuarto de baño apretándolo contra la palma de su mano.

–Podríamos ver el número de la *suite* y bajar a la recepción del hotel para hablar con la encargada.

–¿Crees que nos dirá algo? –preguntó con escepticismo.

–No lo sé, Vogler. Pero hay que intentarlo. Al menos, tenemos una pista.

–Está bien aunque antes quiero ducharme y arreglarme. Estoy hecho un desastre.

–De acuerdo –contestó Zimmer.

–Y tú deberías hacer lo mismo. Tienes un aspecto lamentable –opinó sin reservas acompañándole hasta la puerta de salida.

–Vale. No tardes –le advirtió al mismo tiempo que cruzaba el umbral– y no pierdas de vista el camafeo, tráelo contigo –logró decir antes de que Erik le cerrara de golpe.

Al fin solo, abrió la palma de su mano muy despacio. El relieve de la diosa romana, con el cabello recogido en trenzas, ligeramente ondulado, resultaba hermoso. ¿Tendría razón Albert Zimmer? ¿Habrían asesinado a la anciana para arrebatarle aquella joya? Y si ahora estaba en su poder, por el mismo motivo, ¿su vida también corría peligro?

A duras penas, logró tragar saliva y respirar hondo. ¿Quién lo había amenazado en el baño turco? ¿Quién estaba dispuesto a matar con tal de conseguir el camafeo de Venus? Estaba claro que su imprevista presencia en la sala de los parafangos había desbaratado los planes del asesino y de sus cómplices.

Capítulo XI

La *suite* Rigoletto

A pesar de que vestía una camisa y unos pantalones Passion y de que lucía un peinado impecable y calzaba unos Lombartini de la nueva colección de primavera, recién estrenados, la encargada de la recepción reconoció al instante en Erik al joven del albornoz y los pegotes de barro que había alarmado a los clientes con la absurda historia del cadáver fantasma. Así que, cuando vio que se acercaba al mostrador, esbozó una sonrisa forzada mientras se preguntaba con qué la sorprendería en esta ocasión.

–¿En qué puedo ayudarle? –se adelantó la recepcionista.

–Verá... –comenzó carraspeando–, necesitaría saber quién se aloja en la *suite* 301.

–Disculpe, no me está permitido facilitar esa información sobre nuestros huéspedes –contestó de forma cortés.

–Pero... –comenzó en un intento inútil.

–Imposible, lo siento.

Miró a Albert con cara de resignación y, si no hubiera sido por la presencia de la empleada que lo observaba atentamente, le habría soltado allí mismo: «¿Lo ves?... ¡Te lo dije!». No había nada que hacer, esa mujer era una tumba.

–Perdone, muchas gracias –respondió Erik haciendo ademán de marcharse.

Sin embargo, su acompañante lo sujetó por la manga de la camisa y, sin mirarle siquiera, se dirigió directamente a la recepcionista:

–Suponíamos que no estaría autorizada para darnos esa información..., ¿Adina? –preguntó leyendo con lentitud el nombre de la encargada–. ¿No se llamaba así la protagonista de una ópera de Donizetti?

–Sí... –admitió turbada.

–¿Cómo se titulaba, cómo se titulaba? –se preguntó en voz alta llevándose el dedo índice a los labios.

–*El elixir de amor* –respondió ella con una sonrisa.

–¡Eso es!... *El elixir de amor* –dijo con nostalgia, como si aquella obra fuera la ópera de su vida–. Adina –repitió mirando a los ojos a la encargada–. ¡Qué nombre tan hermoso!

La mujer se sonrojó ligeramente. Estaba bastante desconcertada.

–¿Le gusta la ópera, Adina?

–Sí –confesó con timidez.

–Adina –volvió a pronunciar su nombre sin desviar la mirada de ella–. *Quanto è bella, quanto è cara! Più la vedo e più mi piace...* –se arrancó a cantar imitando la voz de un tenor.

Erik lo contempló alucinado. ¿Se había vuelto loco? Algunos clientes que pasaban cerca de ellos los miraron divertidos. Albert se llevaba la mano al pecho y gesticulaba como los cantantes de ópera.

–Por favor –atinó a decir la mujer sin conseguir ocultar el rubor que cubría sus mejillas.

–¡Me encanta esta aria! –exclamó interrumpiendo su breve actuación–. ¡Me la sé de memoria! Adina, yo podría ser su Nemorino.

–Señor...

–Zimmer, Albert Zimmer.

–Señor Zimmer, se lo agradezco mucho. ¿Podría hacer algo por usted?

–Por supuesto –respondió con una atractiva sonrisa–, entiendo que no esté autorizada para indicarnos quién está alojado en esa *suite*. Pero, al menos, ¿le importaría decirnos si estuvo ocupada esta noche?

La mujer hizo un largo silencio. Erik Vogler miró a su acompañante con desdén. «¡Menudo listo!», pensó. El truquito del cantante de ópera enamorado. Pues si esta era la estrategia que iban a seguir, estaban apañados. Albert mantuvo los ojos fijos en Adina. Y, de pronto, para sorpresa del nieto de Berta y de la propia empleada, la mujer murmuró lo siguiente:

–No debería hacer esto pero...

Acto seguido, tecleó varias veces en su ordenador. Habitación 301.

–Veamos, Rigoletto. Se trata de la mejor habitación del Celeste Aida, ¿lo sabían?

¿La mejor *suite*? Negaron con la cabeza y miraron con ansiedad a la pantalla del ordenador.

–... No, no ha sido ocupada en los últimos días –les informó de modo confidencial.

–¿Está segura? –preguntó Erik sorprendido.

–Bueno..., en el ordenador no figura ningún dato –respondió algo molesta.

–¡Imposible!... ¡¡Yo vi cómo esa mujer entraba en esa *suite* de madrugada!! –replicó enfadado.

–No hay nadie alojado en la *suite* principal en estos momentos –repitió la mujer con rotundidad.

–¡¡¡Tiene que haber un error!!! –gritó perdiendo los papeles.

–No lo hay –sentenció–. La *suite* está vacía, se lo aseguro. Y le ruego que se calme, por favor.

–¡¡Pero yo...!! –trató de protestar.

–Venga, Vogler –le interrumpió Albert buscando apaciguarle–, vámonos de aquí. Lo siento mucho, no pretendíamos molestarla –dijo mirando a la encargada de la recepción, y bajando la voz para que Erik no pudiera oírle, susurró–: Discúlpelo, está muy nervioso últimamente.

Sin mucho convencimiento, el nieto de Berta se alejó de la recepción del hotel. Con la mirada perdida, iba farfullando la misma frase una y otra vez, como si estuviera poseído: «Yo la vi, estoy seguro». Mientras, Zimmer lo sujetaba por el brazo derecho y asentía con la cabeza para darle la razón.

Había algo raro en aquella historia de la anciana envenenada. Parecía que el mundo entero se había confabulado para demostrar que nunca había existido. Sin embargo, la presencia del camafeo con el retrato del chihuahua confirmaba que Erik no mentía y que, en algún lugar, quizá no muy lejos, quizá aún en el mismo balneario, se escondía un cadáver.

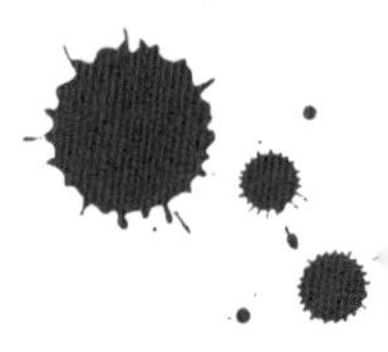

Capítulo XII

Un tropezón muy oportuno

Después de hablar con la recepcionista, decidieron regresar a la tercera planta. Como Erik estaba convencido de que se trataba de una equivocación o de que pretendían engañarle para encubrir el crimen de la vieja de los parafangos, querían ver a toda costa la *suite* Rigoletto. Tal vez, con un poco de suerte, el servicio de habitaciones estuviera trabajando en la limpieza de las *suites* y pudieran asomarse o echar un vistazo con cualquier excusa.

Mientras subían en el ascensor, Albert volvió a observar el cuello del nieto de Berta. La cadena de plata asomaba entre su piel blanca y la camisa de seda. Al sentir la mirada del joven, Erik se llevó la mano al cuello y sacó la cruz de Jerusalén.

–¿Y ese crucifijo? –preguntó con interés.

–Es un regalo de mi tío, me lo trajo de Tierra Santa.

–Debes de apreciarlo mucho porque no te lo quitas ni para meterte en los parafangos.

–Voy con él a todas partes –le aclaró con expresión seria–, a todas.

–Vaya, no sabía que fueras tan creyente, Vogler.

–Tengo más crucifijos en mi habitación –le advirtió.

–¡Ja, ja!... ¿Es una amenaza? –le preguntó divertido.

Sonó un pequeño timbre y el ascensor de cristal se detuvo.

—Hemos llegado —dijo el nieto de Berta saliendo lo antes posible del ascensor.

—¿No me esperas, Vogler? —le preguntó con ironía—. Aparte de ti, soy el único que cree que ha ocurrido un asesinato.

Lo miró con acritud. En el fondo, no le quedaba más remedio que admitirlo: Zimmer se había convertido en su confidente. Le había contado lo que sucedió en el baño turco y había visto el camafeo de Venus. De alguna inexplicable manera, aunque no quisiera reconocerlo, se había convertido en su compañero en la investigación del crimen del balneario. Así que se detuvo en medio del pasillo y lo esperó.

Poco después de pasar por delante de sus *suites*, vieron abierta la puerta de una habitación. Ambos se quedaron quietos al descubrir un carrito del servicio de limpieza.

—*Salve, buon giorno!* —saludó Albert asomándose al dormitorio.

Una voz masculina le respondió sorprendido.

—Buenos días, señores. Disculpen, ahora mismo acabo —dijo al mismo tiempo que colocaba una delicada bandeja de bronce con pétalos de flores frescas sobre una de las mesitas que había junto a la cama.

—No, no es nuestra *suite* —le aclaró Erik.

El empleado los miró con estupefacción. Entonces, ¿por qué estaban allí?

—... Solo queríamos saber si ya ha terminado la *suite* 301 —dijo Albert Zimmer con una sonrisa.

—¿Se refieren a la *suite* Rigoletto? —les preguntó desorientado.

—Sí —respondieron a coro.

–Esa *suite* no está ocupada –les contestó, y al ver sus caras de desilusión, les explicó–: Solo lo está en ocasiones muy especiales.

–¿En ocasiones muy especiales? –repitió Erik con curiosidad.

–Sí, es la *suite* más exclusiva del hotel.

–¿Podríamos verla? –soltó de pronto Albert.

–Lo lamento mucho, pero no estoy autorizado.

–Sería solo un momento –insistió el joven.

–Lo siento, señores –se disculpó con amabilidad mientras se disponía a empujar el carrito para sacarlo de la *suite*–. ¿Me permiten? –les indicó invitándoles a salir al pasillo.

–Entonces, ¿no ha dormido nadie allí esta noche? –preguntó el nieto de Berta antes de que el empleado cerrara la habitación.

–No, señor –les aclaró sin perder la sonrisa.

El hombre continuó con su tarea y se dirigió a otra *suite*. Sacó una tarjeta del bolsillo de su chaleco y abrió la puerta sin dificultad. Albert y Erik se miraron sin decir nada. Si consiguieran hacerse con ella, podrían entrar en la habitación 301. Sin embargo, antes de que fueran capaces de reaccionar, la voz de Berta Vogler, que regresaba de un estupendo masaje, los sacó de sus pensamientos:

–¿Qué tal os fue en el baño turco?

–Eh... Muy bien, muy bien –contestó su nieto.

–¿Os habéis relajado?

–¡Sí, sí..., fenomenal! –remató Albert.

–Me alegro mucho. Yo venía a cambiarme. ¿Me esperáis un momento?... No tardaré –se justificó.

Qué oportuna. Ajena a todo lo que estaba sucediendo, vestía el albornoz del Celeste Aida y lucía una expresión tranquila y feliz. Según les contó, se había sometido a un tratamiento de *chocolaterapia*. Después de que le asegurasen que la esperarían allí mismo, desapareció tras la puerta de la *suite* Madame Butterfly.

Entretanto, el encargado del servicio de limpieza había recibido una llamada telefónica urgente. Se apresuró a salir de la estancia que estaba arreglando y se aproximó hacia ellos. La tarjeta que utilizaba para abrir las habitaciones sobresalía del bolsillo de su chaleco. Sin dudarlo siquiera, Albert chocó contra él de forma intencionada. Erik contuvo la respiración. ¿Qué narices estaba haciendo?

–*Scusi, scusi!!*... Me he tropezado, lo siento mucho –se disculpó apartándose del hombre.

El empleado del hotel lo miró con resignación y le hizo un gesto como para quitarle importancia. A continuación, los saludó y prosiguió su camino por el pasillo para tomar el ascensor. Los dos jóvenes aguardaron hasta quedarse completamente a solas y fue entonces cuando Albert sacó la tarjeta del bolsillo de su pantalón.

–¡¡Qué has hecho!! –exclamó con cara de pánico.

–¿Me acompañas o no? –le espetó sin miramiento.

Y, sin esperarle más, echó a andar con decisión en dirección a la *suite* 301.

–Pero... ¿y si nos pillan? –murmuraba el nieto de Berta mientras lo perseguía a paso rápido.

–¡Cállate, Vogler! ¡Si no quieres, no hace falta que vengas conmigo, cagueta! –le abroncó sin volver la vista atrás.

Erik, por el contrario, giró varias veces el cuello para cerciorarse de que estaban solos en la planta. Se sentía como un delincuente, como un ladrón de guante blanco. Aunque, en verdad, él no había robado nada. Había sido el engreído de Albert Zimmer, el de los planes perfectos, el conquistador de colmillos afilados, el consumado ajedrecista de Bremen, el preferido de su abuela. Y, para colmo, corría detrás de él como un perrito faldero, presa del miedo a ser descubierto *in fraganti*.

Habitación 301. Se pararon en seco frente a la puerta. Erik recordó a la anciana del chihuahua, también quieta, de pie, en la misma posición en la que estaban ellos en aquel preciso instante. Un escalofrío le recorrió la espalda. ¿Y si allí estuviera el cadáver que estaban buscando? Parecía poco probable. ¿Se habrían arriesgado a subirlo hasta la *suite* Rigoletto? Demasiado peligroso. Cualquier cliente del balneario los podría haber visto. Sumido en sus cavilaciones, el ruido de la puerta al abrirse lo inquietó y retrocedió con un pequeño brinco. Zimmer lo miró por encima del hombro con una sonrisa cómplice y perturbadora.

–*Prego!* –exclamó haciendo un gesto caballeroso para que Erik lo adelantara y entrase en primer lugar.

Armándose de valor, aceptó el reto y cruzó el umbral de la Rigoletto seguido por Albert. Les rodeó un silencio aplastante. Las cortinas ocultaban la claridad de la primavera.

–¡Vaya, vaya! –comentó Zimmer maravillado al percatarse de las dimensiones de la estancia principal de la *suite*–. ¡Es enorme! –exclamó–. Tu cadáver tenía gustos muy caros. Debía de disponer de una fortuna para alojarse en esta *suite*.

–¿Crees que estará aquí? –susurró en la penumbra sin atreverse a dar un paso más.

Su cómplice lo adelantó con paso firme y descorrió una de las cortinas. Un chorro de luz entró en la sala.

–Lo descubriremos muy pronto, Vogler –respondió confiado–. ¿Y si lo han escondido, por ejemplo, dentro de este armario? –bromeó abriendo de sopetón una de las puertas.

Capítulo XIII

Dos orquídeas blancas

Sugestionado por la idea de Zimmer, Erik creyó ver por un segundo el cuerpo sin vida de la anciana del sorbete dentro del armario. Y, sin embargo, no había nada excepto los detalles de cortesía del hotel, perchas y cajones vacíos, estanterías esperando a un huésped... Ningún equipaje, ropa, calzado ni cualquier otro objeto que pudiera delatar la presencia de alguien alojado en esa habitación.

El resto del mobiliario del salón de la Rigoletto se hallaba en un orden impecable: las butacas de terciopelo, las mesas, los sillones, el sofá, las lámparas que decoraban cada rincón de la estancia. Todo encajaba a la perfección en medio del silencio: los colores, los tejidos, las antigüedades y la disposición de los muebles sobre el suelo de madera oscura.

–Parece que nadie se ha alojado aquí –admitió Albert examinando cada rincón de la sala.

–Lo han limpiado a conciencia –apuntó observando con detenimiento los cuadros y las esculturas que la decoraban.

–Tampoco hay ni rastro del perro. ¿Se lo habrán cargado también? –se preguntó en voz alta.

Erik encogió los hombros y se agachó para mirar debajo del sofá. A lo mejor, con un poco de suerte, encontraba algo que se hubiera caído. Pero el suelo lucía impoluto. Una vez inspeccionado el salón, se dirigieron al dormitorio albergando la esperanza de hallar en él alguna pista de la anciana desconocida, cualquier insignificancia que demostrase que estuvo allí.

Al atravesar el umbral, descubrieron una habitación gigantesca con una cama de matrimonio cuajada de almohadones y cojines de raso. Al igual que en la otra estancia, Albert se ocupó de descorrer las cortinas. Ante sus ojos apareció una inmensa terraza. En uno de los rincones había un par de tumbonas de color blanco; en el otro, varios sofás en torno a una mesa rectangular; y, en la parte central, se disponían varias sillas alrededor de una mesa de madera tropical a la sombra de una pérgola. Algunas plantas de gran tamaño decoraban las esquinas de la terraza. Pero no se toparon con nada que indicase que alguien había estado allí.

Lo más rápido que pudieron, conscientes de que no podían permanecer en la *suite* mucho rato, revisaron el dormitorio. Una fina colcha cubría la cama; debajo, las sábanas parecían nuevas y perfumadas. Sobre las mesitas de noche no había prueba alguna de la presencia de la anciana.

Erik se acercó a un escritorio del siglo XVII que se situaba pegado a una de las paredes de la habitación. Encontró papel de carta, sobres y tres cajas de madera que encerraban sus correspondientes plumas estilográficas. Suspiró abatido.

–Por aquí no veo nada –comentó Albert, que se había agachado para curiosear debajo de la cama–. Ni siquiera un pelo del chucho.

–Yo tampoco –reconoció desanimado–. Solo nos queda mirar en el cuarto de baño –dijo mientras se alejaba del escritorio y buscaba la última puerta de la *suite*.

La Rigoletto presumía de un aseo espectacular que compartía las magníficas vistas de las otras habitaciones. Contaba, entre otras cosas, con una bañera de hidromasaje de gran tamaño, una ducha escocesa, una sauna finlandesa y una antigua pila romana que presidía el centro del cuarto. A todo esto se sumaban la escultura de una Venus semidesnuda, varias lucernas sobre la repisa de mármol donde se encastraban dos lavabos de diseño italiano y un armario empotrado que guardaba todo tipo de ropa de aseo, jabones, aceites y perfumes.

Recorrieron con la mirada cada detalle del mobiliario. De pronto, los ojos de Erik se detuvieron en un fino jarrón de cristal situado sobre un estante de madera oscura. Dentro de él había dos orquídeas blancas.

–¡Las flores! –reaccionó satisfecho corriendo a comprobar el contenido del jarrón–. ¿Quién iba a colocar unas orquídeas recién cortadas en una *suite* vacía? –preguntó después de oler su fragancia.

–Es el único detalle que han olvidado –añadió Albert demostrando su decepción–, no tenemos ninguna otra pista.

–¿No te parece una coincidencia? –preguntó Erik señalando la escultura de la Venus.

–Lo que está claro es que al decorador o al propietario del hotel le gustan las antigüedades y el arte romano.

–... Como a la dueña del camafeo –especificó Erik.

–Exacto... Por cierto, ¿dónde has guardado el camafeo? Supongo que lo traerás contigo.

–Lo llevo en mis Passion –respondió con vanidad.

–¿En tus qué?...

–En mis pantalones Passion, en un bolsillo interior –le explicó haciéndose el interesante.

–¡Ah! Bueno, es un lugar excelente. No creo que nadie se atreva a meterte mano –le vaciló.

Ignorando el comentario, prosiguió con sus deducciones:

–Si esta *suite* solo se utiliza en ocasiones muy especiales, tal y como nos contó la recepcionista, la anciana debía de ser una de las mejores clientas del balneario.

–Una millonaria –afirmó Albert de forma rotunda.

–Además –discurrió–, la sala de los parafangos estaba abierta en exclusiva para ella y alguien le tuvo que servir el sorbete de mango antes de que yo entrara.

–... Una millonaria caprichosa y excéntrica que viajaba con un chihuahua.

–Y los dos han desaparecido misteriosamente –dijo Erik acariciándose la punta de la nariz.

–Y alguien te amenaza de muerte para recuperar un camafeo romano.

–Tiene que ser muy valioso.

–Seguramente, pero ahora debemos salir de aquí –le cortó tajante abandonando el cuarto de baño.

–¡Es cierto, ese hombre –dijo Erik hablando del encargado de la limpieza– puede venir en cualquier momento!

En efecto, el empleado regresaba en el ascensor para terminar su trabajo en la tercera planta cuando se dio cuenta de que su tarjeta no estaba en el chaleco. Sorprendido, hizo una mueca que no ocultaba su disgusto. ¿Se le habría caído cuando salió de la última *suite?* ¿La habría perdido?... Estaba completamente seguro de que la había guardado en el bolsillo de su chaleco, como solía hacer. Y, sin embargo, la tarjeta había desaparecido. Se acordó entonces de los dos jóvenes. El de la raya al lado, el repeinado, y el otro, el que chocó contra él. Le habían pedido que les dejase ver la *suite* Rigoletto y también le preguntaron si alguien estaba alojado en ella.

¿Habrían sido capaces de robarle la tarjeta aprovechando el tropezón?... Negó con la cabeza intentando evitar ese pensamiento. ¿Cómo podía habérsele ocurrido? No le gustaba desconfiar de los huéspedes. Lo más probable era que se le hubiera caído al suelo. Seguramente aún continuase en el pasillo. En cualquier caso, disponía de una segunda tarjeta para acceder a las habitaciones. Y si a lo largo del día no lograba encontrarla, notificaría el incidente a sus superiores. En cuarenta años de servicio jamás había extraviado nada, así que esperaba que no se lo tuvieran en cuenta.

Mientras el encargado del servicio de limpieza subía en el ascensor con sus tribulaciones, los dos fugitivos escapaban de forma precipitada de la *suite* Rigoletto.

–¡¡Vamos a mi habitación!! –ordenó Zimmer mientras echaba a correr por el pasillo del hotel.

Erik asintió con la cabeza y salió detrás de él. A toda velocidad pasaron junto a las puertas de las otras habitaciones. No se cruzaron con nadie. En ese mismo momento, el ascensor de cristal llegaba a la tercera planta. Albert había alcanzado la puerta de su *suite* y trataba de acceder a ella. Vogler, entretanto, lo empujaba con desesperación. Después de un par de intentos, haciendo un esfuerzo para controlar sus nervios, Zimmer consiguió abrir la *suite* Otello. Entraron en tromba justo cuando el hombre se adentraba en el pasillo, empujando su carrito y con la mirada fija en el suelo.

Capítulo XIV

Taormina

Cuando Berta Vogler salió de su habitación, nadie la estaba esperando. Reparó en el encargado de la limpieza que acababa de entrar en una de las *suites* para reanudar su tarea. Aunque había recorrido varias veces el pasillo de la tercera planta no había sido capaz de encontrar la llave perdida. Sin otra opción, utilizó la que tenía de repuesto. ¿Dónde andarían los chicos con los que se había tropezado?

En la *suite* Otello, Zimmer y Vogler guardaban silencio con las orejas pegadas a la puerta. De pronto, unos nudillos la golpearon con determinación. Ambos retrocedieron dando un respingo. ¿Sería el hombre al que le habían birlado la tarjeta para colarse en la Rigoletto? Contuvieron la respiración.

–¡Albert, Erik!... ¿Estáis ahí?... –preguntó una voz que les resultaba conocida.

Abrieron con precaución para cerciorarse de que la abuela no estaba acompañada.

–¿Se puede saber qué os sucede? –protestó.

–¿Vienes sola? –le preguntó su nieto con aire misterioso.

–¡Basta ya de bobadas, Erik!... Voy a bajar a la terraza un rato antes de comer, ¿os venís conmigo o no?

Durante unos segundos permanecieron callados. ¿Qué

debían hacer? Erik se mordisqueó el labio. Encerrarse en la habitación no tenía mucho sentido. Y menos teniendo en cuenta que eso significaba quedarse a solas con Albert Zimmer. Incluso con la protección del crucifijo de Jerusalén, prefería no tentar la suerte. Además, antes o después tendrían que salir.

Por otra parte, el loco del baño turco podía aparecer por allí en el instante más insospechado. Irse con su abuela suponía cierta garantía de que ningún desconocido se lanzase a su cuello de forma premeditada. Estar en la terraza Modigliani, rodeados de huéspedes, también le daba la seguridad de que nadie se atrevería a atacarlo con tantos testigos alrededor.

—¡¡Yo me marcho!! —exclamó Berta lanzándoles un ultimátum.

—¡Espera, espera..., te acompañamos! —contestó su nieto abriendo la puerta de par en par.

Salieron a toda velocidad de la habitación y avanzaron del mismo modo por el pasillo. Por un segundo, el empleado de la limpieza estuvo a punto de descubrirlos cuando se giraba para desempolvar el marco de un espejo.

—¿Se puede saber adónde vais? ¿A qué viene tanta prisa? —les preguntó Berta levantando su brazo izquierdo y echando a correr detrás de ellos—. ¡¡Esperadme!! —les gritó sin éxito.

Aun estando en forma, no les dio alcance hasta el ascensor. Como no entendía su raro comportamiento, los observó mosqueada mientras descendían hasta la planta baja. ¿Qué estarían maquinando? ¿De qué huían? ¿Continuaría su nieto empecinado en el crimen de los parafangos? ¿Habría convencido a su encantador invitado hasta llevarlo a su terreno? O lo que era todavía peor..., ¿le habría contagiado su absurda paranoia? Durante unos segundos, los dos jóvenes esquivaron su mirada de halcón. El más alto, se metió las manos en los bolsillos de los pantalones. El otro, se atusó el pelo para controlar que su peinado estuviera perfecto. Ninguno dijo nada.

Después de salir del ascensor y mirando de reojo a ambos lados, atravesaron diferentes pasillos bajo la estrecha vigilancia de Berta Vogler hasta llegar a unas escaleras que conducían a la terraza Modigliani. De acuerdo con lo previsto, varios huéspedes del hotel ocupaban diferentes mesas y charlaban entre ellos mientras saboreaban un cóctel, un refresco o un café. Algunos solitarios contemplaban embelesados el paisaje y seguían con la vista el recorrido de un barco de vela. Otros fijaban su atención en la atractiva joven de cabellos rojizos que acababa de acomodarse en una de las sillas. Al distinguir su presencia, de forma disimulada, Zimmer buscó la manera de sentarse lo más cerca posible de ella.

–¿Qué queréis tomar? –les preguntó Berta al advertir que uno de los camareros se acercaba a su mesa.

–Un zumo natural de naranja con sacarina y sin pulpa, por favor –pidió Erik en primer lugar.

–¿Y, tú, Albert?

–Uno de tomate, gracias.

–Pues yo me voy a pedir un *limoncello*.

–¡Pero, abuela, no te conviene!... Tiene demasiado alcohol –le echó en cara puntilloso.

Berta Vogler deseó aniquilarlo con sus ojos azules. Se iba a tomar un *limoncello* a pesar del plomo de su nieto.

Cuando todos estuvieron servidos, se hizo un largo silencio que ella aprovechó para levantarse y dirigirse a un jardín próximo. Albert, por su parte, se dedicaba a contemplar con descaro a la joven de melena pelirroja y labios sensuales.

Aferrado a los reposabrazos de su silla, Erik miraba con desconfianza alrededor preguntándose si el desconocido del baño turco lo estaría vigilando. De repente, le asaltó la imagen de la anciana envenenada, su cara de tortuga, su insistencia para que bebiera el sorbete de mango. Intentó sacar el recuerdo de su cabeza. Fue inútil. La voz de la anciana parecía murmurar en su oído aquella misteriosa palabra: «Taormina». Trató de llamar la atención de Zimmer, que persistía en su flirteo.

–Si han hecho desaparecer todas las pruebas de su estancia en el balneario, excepto las orquídeas que encontramos en su *suite* –comentó aludiendo a la anciana del sorbete de mango–, la única pista que nos queda es la palabra que me susurró antes de morir... ¿Albert?

–Perdona, ¿decías?

–Digo –repitió molesto– que solo tenemos una palabra, la que me dijo antes de que la asesinaran: «Taormina».

–Ya, es el nombre de una ciudad de Sicilia.

–Sí, sí –admitió–. Pero podría significar algo más para ella.

–Pudo nacer allí.

–O ser una palabra clave.

–¿Clave?

–Sí, una contraseña para abrir una caja de caudales, un testamento, una cuenta bancaria...

–Bueno, está claro que para la vieja esa palabra tenía valor. De otro modo, no te la habría dicho en dos ocasiones justo antes de palmarla. Pero podría tratarse de un valor sentimental más que económico.

–Taormina –susurró muy despacio.

Absorto en sus pensamientos, Erik sacó su móvil y conectó Internet. «TAORMINA». Tecleó el nombre de manera automática y buscó en «imágenes». La pantalla se fue llenando de pequeños rectángulos que mostraban los restos de un magnífico teatro griego, panorámicas de la bahía de Naxos y del volcán Etna, la turística plaza de la catedral de San Nicolo, una pastelería con dulces sicilianos, varias vistas de Isola Bella con sus aguas azul turquesa, la ciudad iluminada por la noche, un chihuahua, el palacio Corvaja, terrazas sobre el mar cuajadas de buganvillas, calles con tiendas de antigüedades...

¿Un chihuahua? Deslizó el dedo sobre la pantalla para localizar la imagen que le parecía haber visto. En efecto, allí estaba, delante de un palacio medieval. ¿Qué hacía ese perro entre las fotos de Taormina?

Capítulo XV

Úrsula Goldberg

Mientras Albert sonreía embobado a la desconocida, Erik pulsaba en la fotografía del chihuahua de color marrón que aparecía en Internet. El retrato canino formaba parte de un extenso reportaje, publicado en una revista de la prensa rosa, sobre una multimillonaria suiza llamada Úrsula Goldberg, viuda del empresario austríaco Thomas Goldberg, que había fallecido muchos años atrás.

–¡¡Es ella!! –exclamó impresionado mientras pasaba de una a otra fotografía y leía de forma apresurada algunos fragmentos de la información–. ¡Albert, ya sé de quién se trata!

Pero Zimmer no reaccionaba, ni pestañeaba. Estaba ausente. Así que no le quedó más remedio que levantarse de la silla para entorpecer su visión.

–¿Qué haces, Vogler? –renegó–. ¡Muévete!...

Sin embargo, el chico se mantuvo firme. Tenía una expresión triunfal en su rostro.

–¿Se puede saber qué mosca te ha picado?... ¿Por qué no te tomas tu zumito y me dejas en paz?

–No hay tiempo para tus conquistas, Zimmer... Por si aún no te has enterado, estamos en peligro –le advirtió en plan sabelotodo.

—¿Estamos? —preguntó sarcástico—. No te confundas... En todo caso, estás en peligro —matizó señalándole con el dedo—. A mí no han intentado matarme, ni me persiguen para que devuelva una valiosa antigüedad. Y, por cierto —agregó para rematar—, te agradecería mucho que te echaras hacia un lado. ¿Me harías el favor?

Mientras discutían, la bella joven se levantó de la silla para abandonar la terraza con una mujer que debía de ser su madre.

—¡Se marcha!... —suspiró poniéndose en pie y apartando de un empujón a Erik.

Pero, antes de alejarse demasiado, la chica giró su blanco cuello y le dedicó una ligera sonrisa. Albert le devolvió el gesto ocultando sus largos colmillos. Bastaron dos minutos para verla desaparecer.

—¿Satisfecho, Vogler? —le preguntó irritado mientras se volvía a sentar.

—Me has decepcionado —comenzó en tono de reprimenda—. Ya entiendo cuáles son tus prioridades. ¿Te da igual que me hayan amenazado de muerte?

—Vogler...

—¡No, no me interrumpas! ¡Déjame hablar!... Aquí ha ocurrido un crimen espantoso. Han envenenado a una multimillonaria suiza pero a ti te importa un bledo. Por si fuera poco, han estado a punto de estrangularme y me persiguen porque creen que he robado un camafeo. ¡Y, tú —le reprochó—, tú solo piensas en seducir a una pelirroja de bote!

—¿De bote?

—Sí, teñida —replicó enfurruñado.

—¿Y tú cómo lo sabes?

—Me fijé en sus cejas; son de distinto color.

—¡Ah!...

–Y ahora yo también me marcho –le provocó–. Nunca sabrás por qué me susurró «Taormina» antes de morir. ¡Jamás te lo diré! –prometió con el orgullo herido.

–Venga, siéntate.

–¡No!

–Todo el mundo nos mira –murmuró entre dientes.

–¡Me da igual!

–De acuerdo, como quieras, lárgate... Ya estoy harto de tus chorradas. No pienso responsabilizarme de ti. Si te apuñalan en la sauna o te ahogan en una bañera de hidromasaje, no es asunto mío. ¿Te ha quedado claro?

Aquellas palabras lo sobrecogieron. ¿Saldría con vida del balneario o moriría asesinado como la multimillonaria del chihuahua de pelo corto? Aparentando que el discurso de Zimmer no le había afectado, se dirigió de nuevo a su silla sin perder la compostura.

–Está bien, me tomaré mi zumo de naranja.

Albert lo observó con detenimiento durante unos segundos. En su opinión, era un auténtico friki. No obstante, le resultaba extraordinaria la facilidad que tenía para meterse en líos.

–¿Qué has averiguado? –le preguntó tras un largo silencio.

Erik dio varios sorbos a su zumo.

–¡Venga, no te hagas de rogar!

El nieto de Berta apartó la mirada y suspiró haciéndose el misterioso.

–¡Desembucha o se lo contaré todo a tu abuela!

–Taormina era el nombre del chihuahua –confesó reticente.

–¿Cómo?

–La he encontrado en Internet; la anciana del camafeo romano era una multimillonaria suiza. Tenía mansiones repartidas por todo el mundo pero su preferida era una villa que adquirió en Taormina, su residencia de verano.

–... Por eso le puso ese nombre al chucho.

–Bueno, en realidad, era una chihuahua.

–¡Ah!

–Y, por cierto, riquísima. Por lo visto, Úrsula Goldberg solo tenía dos legítimos herederos de su fortuna: un sobrino cincuentón y la propia Taormina, que, además, solía llevar un collar de diamantes valorado en más de quinientos mil euros.

–¡Vaya!... Entonces, en el supuesto de que se la hubieran cargado, igual que a su dueña, todo el dinero iría a parar a manos de...

–A manos de su sobrino, que reside en Viena –le interrumpió–. ¿Qué te parece?

–Un único heredero de una gran fortuna... –caviló.

–Inmensa, diría yo.

–... Así que él sería el mayor beneficiado tras su muerte.

–Exacto.

–Podría haber pagado a alguien que se ocupase de eliminarla, un asesino a sueldo, por ejemplo –conjeturó.

–¿Y el camafeo?... ¿Por qué les interesa tanto?

–Al principio –le explicó Albert–, pensé que lo buscaban solo por su valor económico. Aunque ahora creo que también lo quieren porque prueba que estuvo alojada en el balneario o que, como mínimo, lo visitó. Si han conseguido ocultar su cadáver, el del chihuahua y el equipaje... Si su nombre no figura en el registro del hotel, entonces, ese camafeo sería la última huella que les queda por borrar... No contaban contigo y, mucho menos, con que esa joya fuera a parar al bolsillo de tu albornoz. Confiaban en que nadie se colaría en unos parafangos cerrados al público.

–Ya...

–Porque ¿a quién le iba a dar esa venada aparte de a una multimillonaria excéntrica? –preguntó con muy mala uva.

–¡No podía dormir! –se defendió y, para cambiar de tercio, añadió con gravedad–: Lo que más me llama la atención es que, aparentemente, nadie la ha visto entrar en el balneario.

–Bueno, dijiste que llegó muy tarde a su habitación, de madrugada. Así que, supongamos que la trajeron en un coche hasta el aparcamiento subterráneo que hay próximo a la entrada del hotel. Después, podría haber tomado un ascensor para llegar a la *suite* Rigoletto sin necesidad de pasar por la recepción.

–¿Tú crees?

–Siendo una huésped tan especial, estoy seguro de que harían muchas excepciones con ella.

–Alguien tuvo que verla...

–Sí, pero ¿quién?... Y ¿por qué calla? –preguntó Zimmer apurando su zumo de tomate.

Erik se encogió de hombros y dirigió la vista al lago. Úrsula Golberg parecía un fantasma, una sombra que se había tragado la tierra de manera imposible.

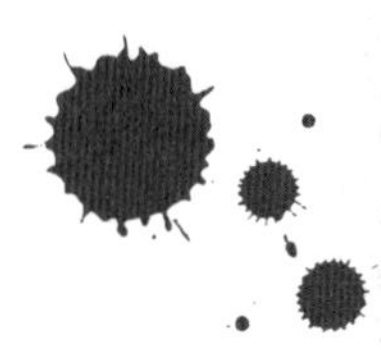

Capítulo XVI

Nada de cadáveres

En absoluto silencio, enmudecidos y con la mirada extraviada, así se los encontró Berta Vogler que regresaba de su paseo por los jardines del balneario.

–¿Va todo bien? –les preguntó depositando su vaso vacío de *limoncello* sobre la mesa.

–Sí, sí –reaccionaron forzando una sonrisa.

–Os noto muy raros... a los dos –afirmó mientras los observaba con recelo.

–¡No, no..., para nada! –contestó su nieto antes de dar el último trago a su bebida.

–¿Continúas con esa historia? –preguntó Berta clavando sus ojos azules en Erik.

–¿Qué historia? –repitió fingiendo aplomo.

–¡No intentes engañarme!... –protestó montando en cólera–. ¡Te conozco, soy tu abuela!

–No sé a qué te refieres –mintió, y agachó la cabeza.

–¡Lo sabes de sobra!... Sigues con lo del asesinato, ¿verdad?... ¡Y, tú, Albert! –le recriminó defraudada–, se suponía que ibas a ayudarme para quitarle esa ridícula idea de la cabeza.

–Yo... –intentó excusarse Zimmer.

–¡No quiero saber nada más de este tema! –le cortó dando un golpe sobre la mesa–. ¡Vamos a pasar unos maravillosos días de vacaciones y vamos a relajarnos! ¿Os queda claro?... –les preguntó amenazante–. ¡¡Por todos los santos, estamos en uno de los mejores balnearios del mundo!!... Nada de cadáveres. ¿Me habéis entendido?

Asintieron sumisos.

–Perfecto. Y ahora que lo hemos resuelto –dijo bajando la voz pero manteniendo el mismo tono autoritario–, me acompañaréis al restaurante y disfrutaremos de una excelente comida.

En el salón Leonardo algunos clientes se fijaron en ellos mientras se dirigían a la mesa que les habían reservado. Todos ellos conocían a Erik, habían escuchado con interés su versión en la sala de los parafangos mientras intentaba convencer al director del hotel y a los presentes de que allí había tenido lugar un crimen.

En una de las mesas, el nieto de Berta distinguió al joven matrimonio alemán, que los observaba con disimulo escondidos tras la carta del Celeste Aida. Un poco más allá, se encontraban el distinguido hombre y su madre, la anciana que caminaba con dificultad. Ambos susurraron algunas palabras en alemán y le miraron de reojo durante unos segundos. En la mesa más cercana a los Vogler, conversaban animadamente los dos actores con acento francés pero, al reparar en la presencia del joven, guardaron silencio y le examinaron con desconfianza. También lo hizo la cantante de ópera jubilada, Valentina Pantaleoni, que esperaba inquieta la llegada de su admirador italiano.

Aunque, a lo largo de la comida, habló de otros asuntos con su abuela y con Albert, la mente de Erik giraba en torno al asesinato de Úrsula Goldberg. ¿Estarían comiendo cerca del asesino? ¿Quién de ellos habría envenenado el sorbete de la multimillonaria? ¿Se encontraría sentado en el restaurante del Celeste Aida? ¿Los espiaría en ese preciso instante? Pidió un muslo de pato con escarcha de queso azul y almendras. Mientras saboreaba su plato, no dejaba de darle vueltas a la cabeza. El crimen de los parafangos. La desconcertante desaparición de la anciana y su chihuahua. El camafeo de Venus.

Antes de los postres, desafió con la mirada al matrimonio alemán que continuaba pendiente de cada uno de sus movimientos. ¿Sería aquel desconocido el que le había atacado en el baño turco? ¿O, tal vez, alguno de los dos actores franceses que, de vez en cuando, cuchicheaban entre ellos y fingían una excusa para mirar en dirección a su mesa? ¿Y si fuera el hombre que conversaba con la anciana del bastón? ¿O el que se acababa de sentar junto a una señora elegante y no paraba de disculparse tomándola de la mano? ¿Quién había matado a Úrsula Goldberg?... ¿Quién de ellos le perseguía para recuperar un valioso camafeo romano?... Lo único que tenía claro era que se trataba de un hombre de brazos peludos como un oso.

Por su parte, a pesar de esforzarse por seguir la conversación con Berta Vogler y con su nieto, en realidad, la cabeza de Albert Zimmer también estaba en otro lugar. Se había quedado en la terraza Modigliani, en la imagen de la joven de cabellos rojizos, labios sensuales y largo cuello.

Capítulo XVII

El anónimo

Después de la comida, regresaron a sus habitaciones. Como Erik no quería quedarse solo, le pidió a su abuela que le acompañara a su *suite* y se preparó para los tratamientos de la tarde. Al cambiarse en el cuarto de baño, escondió el camafeo en un bolsillo de su bañador Bluemoon.

Esa tarde, Berta Vogler no quería perderlos de vista ni un minuto. Así que les mandó que la siguieran a la zona de helioterapia. En el fondo, su nieto prefería estar con ella y darse un relajante baño de sol. Resultaba mucho más apetecible que morir asfixiado a manos de un desconocido. Desde la hamaca en la que se había tumbado, a través de sus gafas oscuras, volvió a distinguir al matrimonio alemán que le había vigilado en el restaurante. Mientras tanto, Albert buscaba, entre los rostros de los huéspedes, el de la hermosa joven de la terraza Modigliani.

Así transcurrió la tarde, entre los miedos de Erik, la supervisión de su abuela y los deseos frustrados de Zimmer. De vuelta a sus habitaciones, se encontraron con Roberto Vasari. El director, con su caballerosidad habitual, les invitó a cenar esa misma noche en un exclusivo ático del hotel y les rogó que le dejaran hablar en privado con Berta Vogler.

—¿Qué ocurre, Roberto? —le preguntó impaciente.

–Verás, no sé cómo empezar –se excusó–. Tu nieto y su amigo han estado haciendo preguntas en la recepción del hotel.

–¿Preguntas?

–Sí, sobre una de las *suites* del Celeste Aida. Mi empleada me ha comentado que tu nieto aseguraba que había visto entrar en esa habitación a la anciana con la que habló en los parafangos.

–¿Y?

–*Cara* Berta, nadie se ha alojado en esa *suite* en los últimos días. No consta en nuestro registro de huéspedes. Además, el gerente del hotel me lo habría comentado, y no sabe nada al respecto. Se trata de la habitación más lujosa del balneario y solo se utiliza en ocasiones muy especiales. Siempre me mantienen informado si alguien va a alojarse en ella.

–Siento mucho los problemas que te estamos causando –se disculpó–. Hablaré otra vez con mi nieto.

–Bueno, después de lo que me contaste que le ocurrió en Bremen, es normal que se encuentre desorientado y algo nervioso. En fin, lo dejo en tus manos, Berta.

Ella asintió resignada.

–Entonces, nos vemos dentro de una hora. Un empleado os irá a buscar a vuestras *suites* y os conducirá al ático... Me encantará cenar otra vez contigo –añadió con nostalgia.

Erik y Albert subieron juntos a la tercera planta. Caminaban con reserva, como si en cualquier momento alguien fuera a saltar sobre ellos. El nieto de Berta fue el primero en abrir la puerta de su habitación. Lo hizo con lentitud bajo la atenta mirada de Zimmer, que se situaba a escasos centímetros de su cuello. Apenas había dado un paso hacia adelante cuando se dio cuenta de que había un sobre en el suelo. Notó que su pulso se aceleraba. Volvió la cabeza para mirar a Albert y señalarle lo que había encontrado.

–Es un sobre –le aclaró con la garganta reseca.

–¡No estoy ciego, Vogler!

–¿Quién lo habrá dejado ahí?

–Apuesto a que no es ninguna de tus admiradoras.

–¿Qué hacemos?... Podría tener algún explosivo –insinuó retrocediendo asustado.

–¡Venga!... No seas gallina. ¿Lo abres tú o lo abro yo? –le propuso adelantándose a él.

–Hazlo tú –contestó apartándose como medida de seguridad.

Con un rápido movimiento, Albert se agachó para tomar el sobre y rasgarlo sin compasión. Después, extrajo un papel con un mensaje escrito con las letras de un periódico.

–¿Qué dice? –le preguntó ansioso.

El joven carraspeó y leyó en voz alta el contenido del anónimo:

> SI NO QUIERES QUE TE OCURRA LO MISMO,
> ESTA NOCHE DEJA EL CAMAFEO
> AL PIE DE LA ESTATUA DE MARTE
> EN EL JARDÍN DEL BALNEARIO.

Capítulo XVIII

Amenaza de muerte

Al escuchar el mensaje del anónimo, Erik creyó que se iba a desmayar allí mismo. Se agarró al marco de la puerta para no caerse al suelo. Sin embargo, no logró disimular el temblor de sus piernas.

–¿Estás bien? –le preguntó Albert.

–Si no quieres que te ocurra lo mismo... –repitió en voz baja y con la mirada perdida.

–¡Vogler, Vogler!... ¡Mírame! –le insistió zarandeándolo con fuerza por los hombros.

El nieto de Berta seguía con los ojos extraviados, como si hubiera visto una aparición, como si supiera la hora exacta de su propia muerte. A Zimmer no le quedó más remedio que darle varias palmadas en las mejillas que, además de hacerle volver en sí, le dieron algo del color que habían perdido. Igual que si regresara de una profunda pesadilla, exclamó presa del pánico:

–¡Me matará si no lo entrego!

–¿Se lo vamos a devolver? –preguntó Albert contrariado al mismo tiempo que se guardaba el anónimo en un bolsillo de sus pantalones–. ¿Tan pronto te rindes?

–¡Por supuesto!... ¡No pienso poner mi vida en peligro! –le soltó apretándose el cinturón del albornoz.

–Eres un cagueta –le atacó Albert sin ningún pudor.

–¿Eso es lo que piensas de mí? –preguntó airado.

–Eso es lo que pienso –le aseguró atravesándolo con la mirada–. Te envían una cartita y te meas de miedo en tus Passion.

–¿Una cartita?... ¡Es una amenaza de muerte!... Quizá tú no lo entiendas, Zimmer, pero soy demasiado joven para morir... No me voy a jugar el tipo por una joya, por muy valiosa que sea. Además –le corrigió–, ahora no llevo unos Passion, sino un Bluemoon.

–Vale, vale... Pues te meas de miedo en tus Bluemoon –rectificó señalando su bañador.

–¡Me importa un bledo lo que opines de mí!... Lo dejaré a los pies de la estatua de Marte y saldré a toda pastilla.

–Pero... ¿te imaginas lo que puede valer? –le espetó–. Si su mascota llevaba un collar de más de quinientos mil euros –reflexionó en voz alta–, ¿cuánto costará el camafeo de la dueña?

–¡Me da igual!... ¡Lo pienso devolver esta misma noche!... ¡Dame el anónimo y déjame en paz!

–¡Ni lo sueñes!

–¿Cómo?

–¡Me necesitas, Vogler!

–No te entiendo –respondió turbado.

–¿Cuál es tu plan?... ¿Salir en mitad de la noche solo y entrar en un jardín a oscuras con un asesino?

Erik enmudeció. La voz de Zimmer lo había aniquilado por completo. Como si hubiera recibido la descarga eléctrica de un rayo en mitad de una tormenta, permaneció igual que una estatua. No parpadeó, ni movió ningún músculo de la cara. Con gran esfuerzo, fue capaz de tragar saliva pero no de articular palabra.

–¿Qué vas a hacer sin mi ayuda? –prosiguió Albert im-

placable, aprovechando aquel golpe de efecto–. Ni siquiera sabes si habrá más de una persona esperándote. ¿Y si te tienden una trampa?... Nadie acudirá a tiempo para salvarte.

–¿Qué... pretendes...? –balbuceó temiéndose su respuesta.

–Descubrir al asesino de Úrsula Goldberg.

–¡Estás loco!

–Quizá, Vogler –le interrumpió con una sonrisa–. Pero mi plan es mucho mejor que el tuyo.

Se hizo un silencio entre ambos. A lo lejos, sonó el timbre del ascensor en el que subía Berta. Después de su breve conversación con el director del hotel, se sentía contrariada. Tendría que cerciorarse de que su nieto y Albert no molestaran a nadie más con la historia del crimen de los parafangos. Así que, a partir de esa misma noche, no los perdería de vista ni un segundo. Los vigilaría como un halcón acecha a sus presas. Se convertiría en su sombra y, si fuera preciso, los perseguiría por todas las instalaciones hasta que terminara su estancia en el Celeste Aida. Cualquier cosa antes de que le volvieran a llamar la atención por el ridículo comportamiento de Erik. No podía sospechar lo que Zimmer tramaba en su cabeza.

Capítulo XIX

Salsa de langostinos

Tenían una hora. Eso les había anunciado Berta cuando se topó con ellos en el pasillo de la tercera planta. Una hora para arreglarse y acudir a la cena en el ático del Celeste Aida.

–No sé si me dará tiempo... –objetó Erik.

–Me acabo de enterar de que estuvisteis preguntando por la *suite* Rigoletto en la recepción del hotel... No, no pongas esa cara de palurdo –le recriminó a su nieto–. Roberto me lo ha contado todo. Espero, por vuestro bien, que no hayáis hecho ninguna otra tontería a mis espaldas –les previno levantando el dedo índice–. Voy a ser muy clara –continuó–, a partir de ahora, vais a cumplir a rajatabla con mis normas. ¿Entendido?

–Pero...

–¡Ni *pero* ni pera! –replicó categórica–. ¡A las ocho menos diez de la tarde os quiero en mi habitación!

Por culpa de las prisas para cumplir el estricto horario de su abuela, Erik olvidó echarse su fragancia favorita: Didier. Tampoco acertó con el cinturón de sus Passion, que no terminaba de combinar con el color de los mocasines de piel. Se puso su camisa Delacroix aunque lucía una diminuta arruga en su manga izquierda. En fin, en su opinión, iba hecho un desastre. Pero, claro, ¿quién podría soportar tanta presión? Con un anónimo que le amenazaba de muerte, una multimillonaria envenenada y una abuela asfixiante..., ¿cómo se iba a sentir?

Antes de salir de su habitación, tomó la caja del crucifijo de Jerusalén y la guardó en el bolsillo de sus pantalones. Inspiró aire y espiró por la boca mientras se contemplaba en uno de los espejos de la *suite*. Ya había anochecido sobre el lago de Como. Tal vez, desde su escondite, el asesino de Úrsula Goldberg contemplaba en silencio la escultura de Marte.

Obedeciendo las instrucciones del director, un botones del Celeste Aida los guió hasta el lujoso ático donde les había propuesto cenar. Al llegar a la mesa, comprobaron que no eran los únicos invitados. Roberto Vasari les presentó al gerente del hotel, Alessandro Malatesta, que estaba acompañado por su hermana y su sobrina.

Albert sonrió complacido. Allí se encontraba la joven de cabellos rojizos y largo cuello blanco que había visto en la terraza Modigliani. Después de saludarse de manera diplomática, tomaron asiento. Con gran habilidad, Zimmer se adelantó a Erik y consiguió sentarse al lado de Véronique Pelletier.

La sobrina del gerente hablaba en francés y Albert no tuvo ningún problema en iniciar una animada charla con ella. De vez en cuando, el nieto de Berta los miraba con descaro. ¿Qué chorradas se estarían diciendo?... Consultó varias veces su reloj de pulsera de manera disimulada. Y, otras tantas, se fijó en la cara de alelado de Zimmer. No le quedó más alternativa que sacudirle una patada por debajo de la mesa. Sin embargo, Albert no le hizo ni caso. ¿Se habría olvidado del plan?... Optó entonces por propinarle un tremendo pisotón. El joven pegó un bote en su silla y lo observó sorprendido. Vogler simuló que se le caía un cubierto al suelo y le tiró de la manga de la camisa para obligarle a que se agachara.

–¿Cuándo nos vamos a largar, Zimmer? –le susurró nervioso.

–Tranquilo, estoy esperando al segundo plato.

Uno de los camareros se acercó a Albert y le sirvió con delicadeza los caprichos de merluza con frutos del mar que había pedido. El joven tomó un primer bocado y lo paladeó con deleite. De pronto, hizo un gesto extraño.

–Perdone –dijo dirigiéndose al empleado–, ¿qué lleva esta salsa?

–Ostras, caviar y una emulsión de langostinos.

–¿Langostinos? –repitió espantado.

–Sí, señor.

Albert se llevó la mano a la garganta y comenzó a toser con exageración. Los comensales, que habían dejado caer los cubiertos en sus respectivos platos ante la reacción del chico, lo observaban alarmados.

–¿Qué ocurre? –se interesó Alessandro Malatesta.

–¡Aggg!... ¡Soy alérgico a los langostinos!

–¡Lo lamento muchísimo, señor! –se disculpó el camarero sin saber qué hacer.

–¡Necesito mis antihistamínicos!... –exclamó angustiado.

–¿Dónde los tienes? –le preguntó Berta con gesto de preocupación.

–¡En mi maleta!... ¡Debo tomarlos urgentemente!

–Yo le acompañaré –se ofreció Erik levantándose de la silla–. Podría sufrir un *shock* anafiláctico –improvisó.

–¡Iré con vosotros! –se ofreció su abuela.

–¡No es necesario, se me pasará pronto!... ¡Solo tengo que tomar una pastilla!

–Albert tiene razón. No hace falta que vengas, quédate

con tus invitados. Yo me ocuparé de todo, no te preocupes –le aseguró Erik con expresión solemne.

–Tiene usted un nieto maravilloso –afirmó emocionada la madre de Véronique.

Aprovechando el desconcierto de Berta, que no daba crédito a lo que acababa de oír, abandonaron la azotea con la intención de acudir a su cita con el autor del anónimo. Al bajar en uno de los ascensores del hotel, Erik empezó a sentir un sudor helado que le rodeaba el cuello.

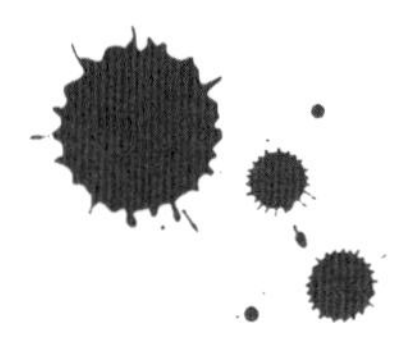

Capítulo XX
La estatua de Marte

Cuando salieron a la terraza Modigliani, algunos huéspedes tomaban una bebida a la cálida luz de las velas. Erik distinguió al matrimonio alemán, que parecía no haber reparado en ellos, y a la anciana Valentina Pantaleoni, que los observó mientras saboreaba su cóctel tropical. A esa hora, la mayoría de los clientes del hotel cenaba en el salón Leonardo; otros conversaban en los pequeños rincones de los que disponía la planta baja del edificio, acomodados en butacas, sillones o sofás. Sin embargo, en el exterior del Celeste Aida, reinaban la noche, la oscuridad y las inmensas aguas del lago de Como en una calma inquietante, igual que las sombras que se dibujaban en el jardín.

Los dos jóvenes miraron a ambos lados para asegurarse de que nadie los seguía.

–¿Llevas la caja? –le preguntó Albert.

–Sí, la llevo en el bolsillo.

–¡Entonces, vamos! –le ordenó antes de salir corriendo hacia la oscuridad.

Erik tardó unos segundos en reaccionar. Las piernas se le habían vuelto de hierro, no le respondían, parecía que no iban a ser capaces de conducirlo hasta la estatua de Marte.

—¡Vogler! —escuchó la voz de Zimmer que lo llamaba entre las sombras.

Se santiguó tres veces y echó a correr. Albert lo esperaba detrás de un castaño. Él, sin embargo, buscó refugio en un pequeño arbusto con forma de cervatillo.

—¡Vogler!... ¿Qué haces ahí?

Albert tenía razón. Debía reconocer que su escondite era bastante mejor que el de Bambi, así que retrocedió unos pasos para acercarse al árbol y se ocultó junto a él. Durante un buen rato estuvieron vigilando los senderos del jardín.

—Estamos solos —murmuró Zimmer.

A escasa distancia, siete figuras de mármol blanco aparecían frente a ellos y se erigían de espaldas al lago.

—¿Y si nos equivocamos de estatua? —preguntó Erik.

—No es momento de rajarse —le avisó—. ¡Sígueme y no hagas ruido!

Antes de que pudiera darse cuenta, Albert se deslizó entre los árboles. A pesar del miedo, decidió correr tras él a lo loco, imitando a los policías que esquivaban las balas en las películas de acción. De tanto en tanto, notaba cómo los matorrales se enganchaban en su jersey de punto inglés, que llevaba anudado al cuello, y los maldecía en silencio.

La primera estatua correspondía a la diosa Diana; la segunda, a Neptuno alzando su tridente; la tercera representaba a Ceres, y la cuarta, a Minerva. ¿Dónde diablos estaba Marte? La quinta era Juno. Siguieron avanzando. Albert se detuvo delante de la sexta escultura.

—¡Es aquí! —susurró.

—¿Seguro?

—Por supuesto. Lleva el casco y la lanza y, además, ¿no ves que la última es de otra diosa?

La réplica de Zimmer le hizo sentirse un poco bobo. Erik levantó la mirada hacia la escultura. Marte, dios de la guerra, parecía dispuesto a abalanzarse sobre ellos y matarlos sin piedad. No disponían de mucho tiempo. Se llevó la mano al bolsillo de sus Passion y sacó la caja de la cruz de Jerusalén. De forma apresurada, la dejó a los pies de la estatua y se alejó a toda velocidad. Albert lo imitó y se parapetaron detrás de un roble centenario.

Estuvieron esperando más de una hora. Todos los huéspedes habían abandonado la terraza Modigliani y el salón Leonardo había cerrado sus puertas. En medio de la noche, el nieto de Berta se preguntaba cómo había llegado a aquella situación. Se suponía que iba a pasar unas tranquilas vacaciones en un balneario. Y, sin embargo, estaba al borde de una taquicardia.

–¡Ahí está! –le alertó.

Erik se aferró al tronco del árbol y reunió el coraje suficiente para asomarse unos centímetros. En efecto, un hombre se acercaba sin hacer ruido a la estatua de Marte. Zimmer tiró del brazo de su compañero.

–¿Qué haces? –le preguntó desconcertado.

–Desde aquí no conseguiremos verle la cara, Vogler –contestó arrastrándolo hacia unos setos más próximos.

Se arrodillaron sobre el césped húmedo y recién cortado. Los Passion se tiñeron de verde y marrón. Zimmer asomó sus ojos por encima de las hojas. Entretanto, el desconocido había descubierto la caja y se disponía a abrirla con dedos temblorosos. «¡Por fin, el camafeo de Venus!», pensó. Al contrario de lo que esperaba, estaba completamente vacía. Furioso, la lanzó contra el suelo y miró a su alrededor. ¿Se trataba de una broma? ¿A qué jugaba el niñato de los parafangos? Comenzó a caminar en dirección a los arbustos donde se cobijaban los dos jóvenes. De pronto, en medio del silencio, el teléfono de Erik empezó a sonar.

–¡Apágalo! –murmuró Albert visiblemente nervioso.

–¡No puedo! –respondió intentando sacarlo del bolsillo.

–Se está acercando demasiado...

Cuando consiguió acallar el *Himno a la Alegría*, de Beethoven, ya era tarde. Zimmer escapó reptando por el suelo pero Erik no tuvo ninguna opción. El desconocido se lanzó sobre él y ambos rodaron por la hierba. De nuevo, el nieto de Berta sintió cómo unas manos le rodeaban el cuello sin piedad.

Capítulo XXI

Una herencia multimillonaria

Aunque trató de gritar, le resultó imposible. El hombre que estaba a punto de estrangularle repetía colérico la misma pregunta: «¿Dónde está el camafeo?». Y lo sujetaba del cuello con tal fuerza que el nieto de Berta era incapaz de respirar y mucho menos de pronunciar una palabra. Al final, cuando ya había cerrado los ojos y se sentía al borde de la muerte, escuchó el estallido de una vasija de cerámica repleta de flores. A causa del impacto que recibió en la cabeza, el desconocido se tambaleó y terminó cayendo, boca arriba, inconsciente sobre el césped. Un puñado de tierra cubrió parte del rostro de Erik y su camisa de seda blanca.

–Es lo primero que he encontrado –se justificó Zimmer, que aún sostenía parte de la maceta en sus manos–. Debía de ser otra antigüedad romana del balneario –añadió lamentándose de su final–. Bueno, tal vez se puedan pegar los trozos... ¿Qué opinas?

Erik se incorporó con dificultad abriendo los ojos espantado. Tosía, se llevaba la mano al cuello y trataba, a duras penas, de recuperar el aliento con parte de la tierra en su cara y algunos pétalos de flores sembrados en la cabeza.

–¿Te suena este hombre? –le preguntó Albert sin darle una tregua.

—... Lo has... lo has matado —logró decir con un hilo de voz.

—No..., está vivo —le confirmó después de arrodillarse a su lado y tomarle el pulso—. ¿Lo habías visto antes?

Se fijó en su rostro dormido. Sí, lo había visto en el hotel. Era uno de los huéspedes que les siguió hasta la sala de los parafangos cuando Erik trataba de convencer a todo el mundo de que había visto un cadáver. También había coincidido con él en el restaurante del Celeste Aida. Le había parecido un hombre elegante y recordó, además, que iba acompañado por una anciana que caminaba con ayuda de un bastón.

—¿Qué estás haciendo? —dijo sorprendido al ver que Zimmer se alejaba de allí a la carrera.

Sin embargo, Albert no contestó, entró en la recepción del hotel y regresó poco después.

—¿Qué traes ahí?

—Tenemos que inmovilizarlo antes de que despierte —dijo ignorando su pregunta.

—¿Cómo?... ¿De dónde lo has sacado?... ¿Es el cordón de una cortina?

—¡Ayúdame, Vogler! ¡Sujétale las muñecas!

Al rato, Peter Eisel despertó dolorido y mareado. Lo primero que vio fueron los ojos inquisitivos de los dos chicos que lo habían atado a uno de los árboles.

—Sabemos que mataste a Úrsula Goldberg —dijo Erik con seriedad.

—... No, no lo hice... Solo pretendía recuperar el camafeo. Pertenece a mi madre —aseveró.

—La envenenaste con un sorbete de mango —le acusó sin darle ningún crédito—, hiciste desaparecer el cadáver pero no lograste robarle la joya.

—¡No es cierto! —se defendió el hombre—. Cuando entré

en los parafangos, ella ya estaba muerta. ¡Yo no la he asesinado aunque reconozco que la detestaba!...

–Pero, ¿por qué arriesgarse tanto por ese camafeo?... ¿Tiene mucho valor? –se interesó de pronto Albert.

–Pertenece a mi madre... Cuando era joven, mantuvo una relación con Thomas Goldberg. Ella trabajaba a su servicio, era una de sus criadas. Todo sucedió en secreto. Habría sido un escándalo para su familia.

–¿Y qué ocurrió? –le apremió el nieto de Berta, que no soportaba la intriga– ¿Y el camafeo?

–Fue en esa época cuando él le regaló el colgante de Venus. Después, apareció esa mujer –explicó con desprecio– y Thomas Goldberg abandonó a mi madre. Nunca se enteró de que estaba embarazada.

–Si tu padre le entregó la joya a tu madre, ¿por qué la llevaba la vieja de los parafangos? –le preguntó Erik escamado.

–Fue por despecho. Mi madre se la devolvió cuando supo que se iba a casar con otra y no quiso hablar nunca más con él.

–¿Cómo sabemos que estás diciendo la verdad? –le inquirió Zimmer con suspicacia.

–¡Eso! –subrayó Vogler–. ¿Por qué íbamos a creerte?

–Busca en el bolsillo derecho de mi chaqueta –le indicó–. Encontrarás una bolsa de terciopelo con una llave.

Albert le hizo un gesto con la cabeza y su compañero obedeció.

–Ahora –continuó–, saca el camafeo y verás un minúsculo agujero en uno de sus laterales.

El nieto de Berta se dio la vuelta. Sin mediar palabra, se alejó unos pasos para desabrocharse el cinturón y meter la mano dentro de sus Passion. Después de unos segundos, extrajo la joya y se volvió a colocar la hebilla.

–¿Lo ves? –le urgió Peter Eisel desde el suelo.

–Sí.

–Introduce la llave que te he dado y gírala hacia arriba.

Con un ligero chasquido, el camafeo se abrió de pronto y no lo hizo para enseñar el retrato del chihuahua de pelo corto y ojos saltones. Esta vez, gracias a la llave, mostraba dos caras ocultas. En una de ellas, aparecía una antigua fotografía en blanco y negro de una joven pareja; en la otra, tan solo dos nombres grabados en oro separados por una flor.

–Eva y Thomas –leyó Erik en voz alta mientras se agachaba junto al autor del anónimo.

–Mi madre se llama Eva Eisel y Thomas Goldberg era el nombre de mi padre.

–¿Así que Thomas Goldberg, eh? –repitió asombrado Zimmer–. ¿De verdad eres el hijo del multimillonario?

–Sí.

–En ese caso, te convertirás en el heredero de una increíble fortuna –comentó el nieto de Berta.

–Solo lo lograré si consigo el camafeo –afirmó señalando la joya–. Probaría que mi madre mantuvo una relación sentimental con él. Solo así admitirían un análisis de ADN para confirmar que soy su hijo y podría hacer uso del apellido Goldberg. Los únicos herederos legales, hasta la fecha, son su sobrino y un chucho llamado Taormina.

–Por eso resulta tan valioso... –razonó Albert–. Es la clave para recibir una herencia multimillonaria.

–Y un buen motivo para eliminar a Úrsula Goldberg –apuntó Erik volviendo a la carga.

–¡Yo no la asesiné!... Ya os lo he dicho, la encontré muerta y salí de allí rápidamente.

–Ya, ya... –repuso sin darle crédito–. También me amenazaste en el baño turco y en el anónimo escribiste: «Si no quieres que te ocurra lo mismo».

–Quería asustarte, nada más –reconoció avergonzado–. Necesitaba recuperar la joya de mi madre.

–Supongamos –les interrumpió Albert tocándose la barbilla y andando en pequeños círculos sobre la hierba– que tú no has sido, que no la asesinaste, que solo buscabas el camafeo de tu madre... Entonces, ¿quién deseaba matarla?... ¿Quién envenenó a Úrsula Goldberg y por qué razón?

–No tengo ni la más remota idea... –contestó encogiendo los hombros–. Ni siquiera sé dónde han escondido su cadáver. Pero tengo la sensación de que aún permanece dentro del balneario.

Capítulo XXII

La propuesta de Zimmer

Erik Vogler y Albert Zimmer también pensaban lo mismo que Peter Eisel. El cuerpo de Úrsula Goldberg continuaba en algún rincón del Celeste Aida. Habían transcurrido pocas horas desde que se cometió el crimen. Sin embargo, a plena luz del día, no parecía el momento oportuno para deshacerse de un cadáver. La noche, por el contrario, se les antojaba mucho más tentadora. Los huéspedes estarían dormidos, la oscuridad caería sobre el hotel y entre las sombras todo resultaría menos complicado. Incluso trasladar a una anciana, envenenada con un sorbete de mango.

–Vogler, ¿cuánto tardaste en llegar a la recepción del hotel para dar la alarma de lo que le había ocurrido a Úrsula Goldberg?

–Creo que muy poco, calculo que menos de cinco minutos. Estuve hablando con la encargada y le conté lo sucedido. Luego se presentó el director y regresamos a la sala de los parafangos. Nos condujo –recordó– por otro camino, pero tampoco nos llevó mucho tiempo.

–En total... –dijo Albert que seguía concentrado en sus asuntos.

–Alrededor de quince minutos –concluyó.

–Y, en ese tiempo, el asesino logró limpiar los restos de lodo, quitar el sorbete envenenado y llevarse el cadáver de la multimillonaria –pensó en voz alta.

–Tuvo que darse mucha prisa –opinó Peter Eisel tratando de incorporarse.

–Sí, tuvo que darse mucha prisa y poseer la fuerza suficiente para cargar con el cuerpo de la víctima –recalcó Albert deteniendo sus pasos–. Pero no pudo llevarla muy lejos –añadió mientras dirigía su mirada a los muros del Celeste Aida.

–¿Qué quieres decir? –preguntó Erik, que apretaba en su mano derecha el camafeo.

–Que lo ocultó bastante cerca de la sala de los parafangos –razonó enfrascado en sus hipótesis–. En algún lugar que no estuviera abierto al público, que nadie frecuentara, un sitio seguro para no levantar sospechas... En una habitación cerrada con llave, por ejemplo.

–Para hacer eso, debería conocer muy bien las instalaciones del balneario y tener acceso a ellas –comentó Erik.

–Cierto –reconoció Albert.

–... Si el cuerpo de Úrsula Goldberg continúa todavía en el edificio, el asesino estará deseando llevárselo de aquí y eliminar su rastro cuanto antes –reflexionó Peter Eisel, que había logrado sentarse y se esforzaba, en vano, por aflojar el cordón que rodeaba sus manos.

–Ya lo hizo desaparecer en una ocasión–señaló Vogler.

–Por tanto, si se lo llevó de la sala de los parafangos, tiene algún interés en alejarlo de la escena del crimen –dedujo Zimmer agachándose junto al hombre apretando la cuerda que lo rodeaba.

–En el caso de que fuera de ese modo, debería deshacerse de los restos esta misma noche, antes de que alguien informe a la policía de la desaparición de Úrsula Goldberg –añadió Erik–. Solo nosotros y el asesino sabemos que está muerta.

–Hemos de impedirlo –dijo Albert.

–¿Impedir, el qué?

–Que desaparezca el cadáver, Vogler.

–Y... ¿cómo se supone que vamos a hacerlo?

–Encontrándolo antes de que el asesino lo saque del balneario –respondió con seguridad mientras se mesaba las melenas y dirigía la mirada a la entrada del hotel.

–¿Qué propones? –se atrevió a preguntarle.

–Que vayamos al pasillo de los parafangos y busquemos a la vieja.

Se hizo un breve silencio entre ellos. Vogler tragó saliva e inspiró profundamente. Se alejó unos metros y aprovechó para guardarse el camafeo y la llave en el bolsillo interior de sus Passion. La propuesta de Zimmer era una locura. Buscar el cadáver de la multimillonaria implicaba la posibilidad de tropezarse con su asesino. La simple idea de encontrarse con él lo aterrorizaba. El ulular de un búho lo sacó de sus pensamientos y le devolvió a la realidad.

El hotel parecía dormido, arrullado por las aguas del lago. Todo aparentaba una absoluta calma; todo menos la abuela del chico, que insistía una y otra vez a Roberto Vasari para que marcase el número del móvil de su nieto.

–*Cara,* Berta –intentó sosegarla–, el teléfono está apagado.

–¡He ido a buscarlos y no aparecen por ninguna parte! –se quejó con impotencia–. ¿Crees que les habrá pasado algo? –le preguntó angustiada agarrándole por la manga de la chaqueta–. ¡Llamé varias veces a las puertas de sus *suites* y no me contestaron!

A esa hora, el resto de los comensales de la cena del ático ya se había retirado y los camareros habían terminado de recoger la mesa. Estaban a solas. Berta miró los ojos oscuros de su compañero de la universidad. Él sonrió y la recordó algunos años atrás.

—¿Te quedarás más tranquila si entramos en sus habitaciones y echamos un vistazo? —le sugirió antes de tomarla de la mano.

Ella asintió y le acompañó a través de los solitarios pasillos del Celeste Aida. Cuando llegaron a las *suites* Otello y Werther, las encontraron vacías. Ni siquiera había una maleta abierta, ni una caja de antihistamínicos, nada relacionado con los síntomas que presentaba Albert durante la cena. Berta contuvo su rabia. Pensó que la habían engañado con la historia de la alergia a los langostinos, que le habían dado esquinazo, que habían utilizado su desconcierto para largarse del ático por algún motivo.

Pero, si no estaban en sus habitaciones, ¿dónde andaban en esos momentos?... ¿Qué estaban tramando?... ¿Seguirían con sus lunáticas investigaciones? ¿Continuarían obsesionados con la búsqueda de un cadáver inexistente? Forzó una sonrisa al ver que su amigo se acercaba a ella y se arrepintió de haberse llevado de vacaciones al plomo de su nieto.

—Será mejor que descanses —le dijo Roberto acariciándole la mejilla—. No te preocupes por ellos, aparecerán en cualquier momento. Son unos chiquillos.

Siguiendo los consejos del director del hotel, la abuela de Erik entró en su *suite*, se encaminó hacia el balcón y decidió asomarse igual que lo había hecho la noche anterior. Frente a ella, el lago de Como; sobre su cabeza de cabellera indomable, un cielo italiano de primavera; a sus pies, el coqueto jardín del Celeste Aida. Suspiró impaciente y apoyó los codos en la baranda.

¿Dónde se encontraría su nieto? ¿Lo había vuelto a perder como le sucedió en Grasberg? ¿Estaría en apuros?... De improviso, escuchó un extraño ruido que provenía del jardín. Alguien había comenzado a gritar. Se trataba de una voz masculina que pedía ayuda y sonaba desesperada. De pronto, se hizo el silencio y entre los árboles, Berta creyó ver las siluetas de los dos jóvenes que corrían hacia la entrada del hotel. ¿Qué demonios estaba ocurriendo allí abajo? Sin dudarlo, salió de la *suite* con la intención de averiguarlo.

Capítulo XXIII

La sala de las antigüedades

Zimmer se había propuesto encontrar el cadáver de Úrsula Goldberg antes de que fuera demasiado tarde. Lo que no tenía tan claro era si prefería ir solo o con el pelmazo de Erik.

–¿Vienes o te quedas, Vogler?

La pregunta lo dejó pasmado. ¿Qué debía hacer? ¿Quedarse con aquel sujeto que había estado a punto de estrangularle en dos ocasiones o acompañar a Albert, el joven de los colmillos afilados, en busca de una muerta, con el peligro añadido de desenmascarar a su asesino?

–¡Decídete de una vez! –le apremió clavando sus ojos penetrantes en él.

–... Es que...

Demasiado arriesgado. Además, era un cagueta. Sí, lo era y no tenía por qué avergonzarse.

–¿Vienes o no?

Debería haber contestado que no, eso era lo que le pedía cada célula de su ser, cada neurona de su cerebro, y, sin embargo, se sorprendió a sí mismo moviendo la cabeza arriba y abajo, asintiendo como un merluzo.

–Pero ¿dónde vais?... ¡No me dejéis aquí!... ¡¡Soltadme!!

–suplicó desde el suelo Peter Eisel–. ¡No tengo nada que ver con el crimen!

–¡Ni lo sueñes! –replicó Zimmer.

–¡Socorro!

Erik, que ya había echado a correr a toda velocidad y trataba de alcanzar a Albert, se frenó y regresó sobre sus pasos. Por un segundo, Peter Eisel creyó que había cambiado de idea. No podía andar más equivocado. Del bolsillo de sus Passion, el chico sacó un pañuelo de seda y lo amordazó. Después, inició una apresurada carrera en pos del otro joven.

Zimmer estaba como una auténtica cabra. Eso era lo que pensaba mientras le perseguía a través del jardín. Sin duda, se decía, era un tipo siniestro y un auténtico chuleta. Sin embargo, aunque le resultase insufrible, había sido el único que había creído su versión. Tal vez por ese motivo, en lugar de huir o pedir ayuda, se comportó como un lechuguino y se adentró con él en los corredores vacíos del Celeste Aida. No cesaron en su alocada carrera hasta que tropezaron con un cartel que les resultaba familiar: «PARAFANGOS».

El pasillo que llevaba hasta la sala donde mataron a Úrsula Goldberg se encontraba débilmente iluminado. A semejantes horas, ningún cliente ni el personal del hotel se habrían internado en la zona destinada a los tratamientos termales. Erik notó cómo su pulso se aceleraba. Cuando Albert se adentró en la galería, caminó tras él. Sus pasos eran lentos e inseguros, como si el suelo se fuera a abrir en el momento más insospechado para engullirlos. Había encogido el cuello igual que una tortuga y miraba constantemente a su alrededor, convencido de que los atacarían de un instante a otro.

Se detuvieron frente a la puerta de la terma en la que envenenaron a la multimillonaria.

–Tiene que andar muy cerca –susurró Albert.

Avanzaron hasta la sala más próxima. Se pararon ante una puerta pequeña, sin ningún cartel, y comprobaron que estaba cerrada. Zimmer se llevó la mano al bolsillo de su pantalón para sacar la llave que le había robado al empleado del hotel. El nieto de Berta se alejó un poco y empezó a mordisquearse, de forma disimulada, las uñas de la mano izquierda.

–¿Qué estás haciendo? –le preguntó en tono reprobatorio.

Erik apartó la mano con un rápido movimiento y se acordó, avergonzado, de las llamadas de atención de su abuela: «¡No te las muerdas!». Fingiendo valor, el joven se aproximó a la puerta aunque dejó que Albert entrase en primer lugar. Al encender la luz, tan solo descubrieron unas estanterías plagadas de productos de limpieza. Recorrieron con la mirada el minúsculo cuarto y descartaron que el cadáver de Úrsula Goldberg estuviera allí.

–Probemos en la siguiente –murmuró Zimmer.

De nuevo, frente a ellos, surgía una nueva puerta. No había ningún letrero que prohibiera el acceso. Pero, de la misma forma que la anterior, también se hallaba cerrada a cal y canto. Tras un leve chirrido, Albert cruzó el umbral a oscuras. Como si se tratase de un bicho palo, Vogler se había pegado a su espalda y caminaba rígido y con los ojos muy abiertos.

A tientas, Zimmer pulsó un interruptor y una sala de grandes dimensiones se iluminó para los dos chicos. Cerraron la puerta a sus espaldas. Daba la impresión de que se utilizaba como almacén de antigüedades que habían servido en algún momento para decorar el edificio. O que, en un futuro, tal vez lo hicieran. Todas aparecían cubiertas con plásticos y estaban debidamente protegidas y catalogadas:

esculturas clásicas, lienzos de diferentes tamaños, ánforas, vasijas, lucernas, varios arcones y un par de bañeras romanas.

–¿Dónde esconderías un cadáver? –preguntó Albert.

Erik paseó la mirada por los distintos objetos.

–... ¿En alguno de los arcones? –vaciló.

Se acercaron al primero de ellos.

–¡Ayúdame a abrirlo! –le pidió Zimmer colocándose en uno de sus laterales.

Erik tomó aire y lo retuvo en sus pulmones. ¿Quién podía adivinar lo que encerraría dentro? Evocó la imagen de la anciana del turbante y el cuerpo cubierto de lodo.

–¡Aquí no hay nada! –rezongó su compañero.

Tan solo hallaron algunas piezas de cerámica y unos candelabros de bronce. Ninguna multimillonaria envenenada. Se acercaron al segundo arcón y repitieron los mismos movimientos. De nuevo, se miraron decepcionados. Entonces, dirigieron sus pasos hasta el último. La tapa de madera oscura resultaba mucho más pesada que la de los anteriores. Les costó trabajo levantarla. ¿Qué guardaba el tercer arcón?

–¡Tampoco! –protestó Albert.

–Las bañeras... –le sugirió esperando que Zimmer se atreviera a inclinarse sobre alguna de las dos.

Vigilado por Erik, que no se había despegado del último arcón, el joven se acercó a una de las bañeras.

–¡Ostras!

–... ¿Es ella?

Albert asintió con la cabeza.

–También está el chucho –añadió impresionado.

–Lo habrán envenenado con el mismo sorbete –apuntó el nieto de Berta.

–¿No quieres verlos? –le preguntó al ver que Erik permanecía al lado del arcón y no se atrevía a moverse de allí.

–... No, no... –contestó negando también con la cabeza–. ¡Lo que voy a hacer es llamar a la policía! –repuso entonces sacando el móvil del bolsillo de sus Passion.

De pronto, un ruido que provenía del pasillo les sobrecogió. Alguien se acercaba de forma apresurada por el corredor. Erik se puso a temblar. Para su desgracia, las pisadas se interrumpieron bruscamente frente a la sala de las antigüedades.

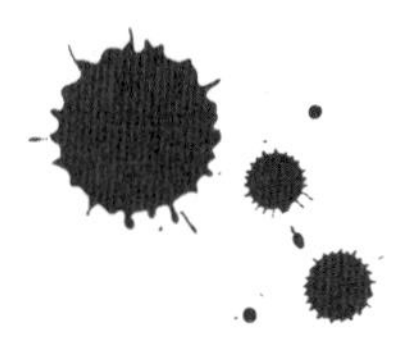

Capítulo XXIV

Escondidos en una bañera

Durante unas décimas de segundo, Albert miró a Vogler. Con el rostro desencajado, este se había quedado muy quieto, como el maniquí de una tienda de moda. Zimmer presintió que no iba a ser capaz de reaccionar a tiempo así que corrió hacia él, lo arrastró del brazo hasta la bañera que estaba vacía y lo lanzó dentro. Después, con un movimiento felino, cayó encima de Erik y se llevó el dedo índice a los labios para pedirle absoluto silencio.

La puerta de la sala volvió a soltar un breve chirrido y se abrió de par en par. Entretanto, el corazón de Erik estaba a punto de escapar de su cuerpo, de abrirle un agujero en el pecho y emprender la huida. Zimmer seguía tumbado sobre él y notaba su aliento helado en el cuello. Cerró los ojos y deseó despertarse en Bremen, amanecer sabiendo que todo había sido una pesadilla. Desayunar unas tostadas integrales de pan de centeno con mermelada ecológica de arándanos, un vaso de leche de soja y un zumo de naranja sin pulpa. Tampoco pedía demasiado. En su lugar, permanecía atrapado dentro de una bañera romana con un tipo al que detestaba, en una sala donde yacían dos cadáveres y, lo peor de todo, al borde de la muerte.

No demasiado lejos, en el jardín del Celeste Aida, su

abuela contemplaba estupefacta a un cliente atado a un árbol y amordazado.

—¿Dónde está mi nieto? —le preguntó sin más preámbulos mientras desataba el pañuelo que le impedía hablar.

—... Se marchó con su amigo —contestó titubeante.

—Sí, lo sé. Pero ¿adónde iban?

—... Se lo contaré si me libera. Todo esto es un error —le aseguró mostrándole las ataduras.

—¿Quién es usted? —le preguntó con desconfianza.

—Me llamo Peter Eisel y estoy alojado en el hotel.

—¿Y por qué lo han atado?

—Ha sido un malentendido, esos chicos me han confundido con otra persona.

—¿Con quién si puede saberse?

—Su nieto pensaba que yo había matado a Úrsula Goldberg.

—¿A quién?

—A la anciana de los parafangos.

—¡Lo sabía! —exclamó descompuesta—. ¡Sigue con esa paranoia del asesinato e incluso se ha inventado un nombre!

—No, no se trata de un invención —la cortó con expresión severa—, yo también vi su cadáver.

Berta Vogler enmudeció. Entonces, la historia de su nieto era verdad... Había sido testigo de un crimen. El hombre aprovechó su desconcierto para mostrarle las muñecas y pedirle por favor, una vez más, que desatase las ligaduras que lo inmovilizaban.

—¿Tiene un móvil? —le preguntó mientras le liberaba.

—... Sí, en el bolsillo de mi pantalón.

—Entonces, avise a la policía —le exigió con voz enérgica—. Yo no sé cómo funcionan esos trastos.

Mientras tanto, entre los muros del Celeste Aida, alguien había abierto la puerta de la sala donde se ocultaban

Albert y Erik. Dos voces masculinas habían irrumpido en la habitación. Las reconocieron al instante. Una de ellas empujaba una silla de ruedas vacía.

–¿Dejaste la luz encendida? –dijo uno de los hombres señalando hacia el techo.

–No sé, no me acuerdo... ¡Tuve muy poco tiempo para deshacerme de la vieja! –protestó alterado.

–¡Cálmate!... Hay que sacarla de aquí cuanto antes... Esos dos niñatos no paran de hacer preguntas y su sobrino avisará de su desaparición a la policía. Así que debemos darnos prisa y terminar con esto de una vez. ¿En cuál la metiste? –preguntó encaminándose hacia una de las bañeras.

Los dos jóvenes aguantaron la respiración al escuchar cómo los pasos se acercaban peligrosamente a su escondite.

–¡En esa no! –le indicó su cómplice en el último momento–. ¡En la de la derecha! –le corrigió al mismo tiempo que empujaba la silla de ruedas en la dirección oportuna.

–¡Ayúdame a sacarla!... ¡Sujétala por las piernas!...

–¡Dios, cuánto pesa! –farfulló cuando la alzaba agarrándola por debajo de los brazos.

–¡Vamos, levántala de ahí! –exclamó sosteniendo a duras penas el torso de la anciana por encima de la bañera.

Tras un gran esfuerzo, consiguieron colocarla en la silla de ruedas y cubrieron gran parte del cuerpo con una manta. El chihuahua de Úrsula Goldberg continuaba en su tumba de piedra.

–¿Y el chucho?

–¡Mételo aquí y date prisa! –le ordenó tendiéndole, con frialdad, una bolsa de basura.

–¡Ya está! –confirmó después de cerrarla con un nudo.

–¡Bien, vámonos!

Vogler y Zimmer escucharon cómo las ruedas de la silla se ponían en marcha y sintieron un inmenso alivio. Era solo una cuestión de segundos que los dos hombres salieran de la sala. Sin embargo, uno de ellos, el que llevaba la bolsa de plástico con el chihuahua, se frenó en seco.

–¿Qué ocurre? –preguntó el otro dándose la vuelta.

Su compañero señalaba un teléfono móvil tirado en el suelo. El otro hombre soltó muy despacio la silla de ruedas, se ajustó los guantes de piel y volvió a observar la luz del techo. ¿Había alguien más en aquella sala? Fijó sus ojos en los de su compañero y le hizo un gesto para que siguiera callado. Con pasos muy lentos, se aproximaron al tercer arcón. A la señal de uno de ellos, procedieron a abrirlo. No encontraron nada. El tipo más fornido reparó en la otra bañera y, sin decir nada, sacó un revólver del bolsillo de su pantalón.

Capítulo XXV

¿Vamos a morir?

Los dos hombres se acercaron a la bañera romana. Al no escuchar el sonido de la silla de ruedas ni el chirrido de la puerta, Albert y Erik sospecharon que algo raro estaba sucediendo. Pero no podían moverse ni hacer ruido alguno. Al advertir la expresión de pánico del nieto de Berta y temiendo que soltara un grito de terror, le tapó la boca con su mano derecha.

De pronto, Vogler abrió los ojos espeluznado. Un hombre bien trajeado y robusto los apuntaba con un arma. Trató de chillar en vano. Zimmer, adivinando que algo iba muy mal, giró el cuello a cámara lenta y miró hacia arriba. El gerente del Celeste Aida negaba con la cabeza, como si les fuera a echar una reprimenda, al mismo tiempo que los encañonaba con su revólver.

–¡Están aquí! –le anunció a su compañero.

–¿Son ellos?

–Sí, son los dos niñatos.

Roberto Vasari se asomó a la bañera. El nieto de Berta y el joven de las melenas. ¿Qué iban a hacer ahora? No estaba dispuesto a que esos dos críos desbaratasen su plan.

–Tendrán que acompañarnos –dijo el director del hotel, y con un gesto les mandó que abandonaran su escondite.

—¿Quieres que vengan con nosotros? —le preguntó su cómplice atónito.

—Por supuesto... ¿No pretenderás matarlos aquí? —contestó Roberto Vasari—. Luego habría que sacar sus cadáveres del edificio y resultaría mucho más complicado.

—No van a caber en un único maletero —objetó clavando sus ojos en los dos chicos.

—Tienes razón, necesitaremos también tu coche.

Obedeciendo al revólver, salieron de la bañera con lentitud. Erik, que llevaba los brazos en alto, preguntó histérico:

—¿Vamos a morir?

Ellos se encogieron de hombros y pusieron cara de resignación. De aquel modo intentaban decirle que no les quedaba otro remedio, que no deberían haberse entrometido, que no tenían por qué estar allí.

—¡Soy el nieto de Berta Vogler! —soltó como si aquello pudiera servirle de algo.

—Lo lamento, sabéis demasiado —afirmó el director con cara de circunstancias.

—¡No diremos nada!... ¡No hemos visto nada!... —trató de convencerle con los ojos desorbitados.

—Tú —le ordenó a Zimmer, ignorando las súplicas de Vogler—, empuja la silla de ruedas. Y tú —mirando a Erik—, lleva la bolsa del chucho.

—... Pero ¿nos van a matar? —persistió.

Zimmer lo fulminó con la mirada.

—¡Andando! —les amenazó Alessandro Malatesta.

Con expresión de asco, Erik tomó la bolsa con las yemas de los dedos y estiró el brazo para apartarla lo máximo posible de sus pantalones Passion. Los dos responsables del crimen de Úrsula Goldberg se colocaron detrás de ellos. Siguiendo sus órdenes, empezaron a atravesar el almacén. Habían avanzado unos metros cuando Vogler sintió la mirada afilada de Albert sobre su rostro. Lo miró sin entender muy bien qué pretendía decirle sin palabras. De repente, lo supo.

De forma imprevista, Zimmer lanzó la silla de ruedas hacia un lado, se giró sobre sí mismo y sacudió una patada estilo karateka que impactó con violencia sobre el estómago del gerente. Con el golpe, el revólver resbaló de su mano y se precipitó al suelo.

Alessandro Malatesta se había quedado de rodillas, doblado sobre sí mismo y llevándose las manos al abdomen. Casi no podía respirar. Ante la atónita mirada de Roberto Vasari, que no salía de su asombro, el nieto de Berta lanzó la bolsa con los restos mortales del chihuahua por los aires y los dos jóvenes emprendieron la huida. Consiguieron alcanzar la puerta del almacén y acceder al pasillo. En un momento de indecisión, como no sabían hacia dónde debían torcer, si a la izquierda o a la derecha, Erik chocó contra Zimmer y salió rebotado.

—¡Vamos, Vogler, por aquí! —le gritó agarrándole con fuerza por la camisa y rasgándole una parte de la manga.

Su camisa Delacroix —se la compró en una tienda de París el otoño anterior— era de diseño exclusivo. El nieto de Berta hizo un gesto de desesperación. No quiso mirar sus Passion, que lucían un tono verdoso, ni su jersey de punto inglés, que se había deshilachado por culpa de los matorrales del jardín. Se dejó arrastrar por Albert y corrió enloquecido tras sus pasos.

El eco de sus zapatos Lombartini rebotaba contra las paredes. Apretó los dientes y aceleró las zancadas. Súbitamente, el ruido de un disparo le heló la sangre. La bala pasó a pocos milímetros de su pantalón de marca y se estrelló contra el suelo. Decidió no echar la vista atrás. Roberto Vasari los perseguía a pocos metros y volvió a apretar el gatillo.

Esta vez, la bala se incrustó en la pared junto a la que corría Albert.

—¡No tenéis escapatoria! —les gritó el director.

Pero no estaban dispuestos a parar. El hombre, sin embargo, se detuvo en mitad de la galería. Tomó aire y apuntó con mayor precisión. La tercera bala silbó en el aire y rozó el brazo izquierdo de Zimmer tiñendo su camisa de rojo. El joven lanzó un quejido. Al ver la herida, Vogler sintió que se mareaba y que se iba a caer redondo de un momento a otro. Aflojó sus pasos. Roberto Vasari había reanudado su persecución y se encontraba cada vez más cerca de ellos. Estaban perdidos. Eso era lo que se decía el nieto de Berta mientras notaba cómo sus piernas perdían fuerza. Zimmer lo miró decepcionado y, poco a poco, también fue frenando su carrera.

En escasos segundos, el director del hotel les había dado alcance. Unos metros más atrás descubrieron la figura del gerente, que se acercaba dolorido para reunirse con su cómplice. Llegaba empujando la silla de ruedas con el cadáver de Úrsula Goldberg. En el regazo de la multimillonaria había colocado la bolsa de basura donde reposaba el cuerpo de Taormina. Cuando estuvo a la altura de los dos niñatos, los miró rabioso.

—¡Se te ha caído esto! —exclamó devolviendo al nieto de Berta el cadáver del chihuahua.

Sin más opciones, Vogler se agachó lentamente y recogió la bolsa de plástico del suelo.

—¡Tú, imbécil, encárgate de la vieja! —le ordenó, acto seguido, a Zimmer, y le lanzó la silla de ruedas como quien juega con un carrito de la compra en medio del supermercado.

Con un gesto de la cabeza y la ayuda del revólver, Roberto Vasari les obligó a que caminasen. Zimmer, que empujaba la silla de ruedas, se había llevado la mano al brazo herido. Sus dedos se mancharon de sangre. Apretó la mandíbula y adivinó de reojo el arma con la que les volvían a amenazar. Mientras tanto, la mirada del gerente se clavaba en la espalda del joven como un puñal dispuesto a atravesarlo sin compasión. Vogler, por su parte, avanzaba como un fantasma, como si se hubiera vuelto transparente, blanco y etéreo. De este modo, recorrieron el último tramo del pasillo y entraron en el ascensor.

–¿Dónde nos llevan? –preguntó con la frente cubierta por un sudor frío.

No le contestaron. En silencio, pulsaron un botón para descender aún más. El nieto de Berta pensó que se dirigían al averno acompañados por dos demonios vestidos con trajes italianos. Cuando se abrieron las puertas, comprendieron que habían bajado al aparcamiento subterráneo del Celeste Aida. Albert y el gerente salieron en primer lugar. Roberto Vasari lo hizo después mientras apretaba un mando a distancia que había sacado de su chaqueta. En la penumbra del garaje, las luces de un vehículo parpadearon dos veces.

–¿Qué haces ahí?... –le preguntó el director al chico, que se había quedado paralizado dentro del ascensor–. ¡Sal ahora mismo!

Pero Erik estaba tan agarrotado que, aunque lo hubiese deseado, no era capaz de avanzar ni un milímetro.

–¡Obedece! –gritó el gerente pegando el revólver a su frente.

Al sentir el frío del arma contra su piel, Erik se desmayó en el acto. Los dos hombres se miraron sorprendidos. Roberto Vasari decidió agacharse junto a él y trató de reanimarlo sacudiéndole varias tortas en la cara. Sin embargo, no consiguió que reaccionara.

–Tal vez sea mejor así –afirmó mientras lo agarraba como un saco de patatas y lo cargaba sobre su hombro derecho.

Tras unos segundos de indecisión, el gerente se encargó de tomar la bolsa donde yacía el chihuahua de Úrsula Goldberg y, de esta forma, se encaminaron hacia un lujoso coche. Cuando se acercaban al vehículo, el maletero se abrió de forma automática. El director se adelantó al grupo y mediante un rápido movimiento dejó caer a Erik en su interior. Y, mirando a Albert, que se agarraba con fuerza a la silla del cadáver, le ordenó con sangre fría:

–¡Échame una mano con la vieja!

Mientras Alessandro Malatesta lo encañonaba con la pistola, manteniendo una distancia prudencial para no arriesgarse a recibir otra patada, tuvo que ayudar a Roberto Vasari a introducir a la multimillonaria dentro del maletero. Les resultó difícil por el peso de la mujer y porque debajo estaba el cuerpo de Vogler, encogido sobre sí mismo.

Al notar el contacto con los muslos gélidos de Úrsula Goldberg, el joven abrió los ojos y descubrió aterrado la cabeza del turbante a pocos centímetros de su cara. El alarido que profirió retumbó en todo el aparcamiento y perforó las sienes del gerente, del director y del propio Albert Zimmer.

Capítulo XXVI

Confesiones de un crimen

Roberto Vasari accionó el mando a distancia y, para terror del joven atrapado junto al cadáver de Úrsula Goldberg, el maletero comenzó a cerrarse con suavidad. Inútilmente, Erik trató de quitarse de encima el cuerpo de la muerta. Volvió a gritar desesperado con todas sus fuerzas. En poco tiempo se hizo la oscuridad y el silencio. Estaba atrapado en el portaequipajes del vehículo de un asesino sin compasión. Encerrado con una multimillonaria fiambre y con un chihuahua tan rígido como su dueña.

Pensó que no quería morir en primavera. Pensó en dónde estaría su padre, en las calles de Bremen, en la ópera, en su abuela tomándose un *limoncello*, en los colmillos de Zimmer, en el fantasma de Sandra Nadel, en su colección inacabada de minerales. Pensó en que nunca recomendaría ese balneario. Aunque, claro, ¿cómo iba a hacerlo si estaban a punto de asesinarle?

Mientras Erik lamentaba su suerte, aguantaba las ganas de vomitar y soportaba el peso de la muerta, en el aparcamiento del Celeste Aida, Alessandro Malatesta apuntaba con el revólver al otro joven y le mandaba que se dirigiera a un coche estacionado unos metros más allá.

–¡Rápido, métete en el maletero! –gritó después de abrirlo de forma brusca.

–De acuerdo –contestó–. Lo único que quiero saber es por qué la envenenasteis.

–¡No tenemos tiempo para tonterías! –se defendió el gerente–. ¡Entra de una maldita vez!

Roberto Vasari lo observó con incredulidad. ¿Qué pretendía aquel chico? ¿Intentaba ganar unos minutos? ¿Pensaba que con aquella pregunta iba a lograr que se compadeciera de ellos?

–Sabéis demasiado –le recordó el director.

–Me conformo con que me digáis qué os hizo esa vieja –insistió clavando sus ojos en él.

El hombre sonrió al escuchar la expresión del chico. «Esa vieja», se repitió acentuando el tono despectivo. Las palabras de Albert resonaron en su mente. ¿Que qué les había hecho?... Le vino a la mente la bruja de Úrsula Goldberg. Así la llamaba cuando pensaba en sus manías y su carácter insoportable. Caprichosa hasta límites inverosímiles, borracha de millones y de avaricia. Incluso antes de la muerte de su marido, ya se entrometía en sus negocios y se encargaba de tomar decisiones absurdas. Tampoco se dejaba asesorar en ningún asunto y montaba en cólera si alguien la contradecía.

–... Era una bruja –murmuró Roberto Vasari–, una verdadera bruja. Nos sometía a sus continuas excentricidades, a su locura. Estábamos siempre a merced de sus antojos y ridiculeces. La obedecíamos en cada detalle y ella nos manejaba como a marionetas. Hace unos días me llamó por teléfono –rememoró con amargura– y me dijo que quería cerrar el hotel. Después de tantos años, de tanto esfuerzo, tenía pensado despedir al personal y vender el edificio, que era de su propiedad. La convencí para que viniera hasta aquí con la intención de disuadirla, de hacerle cambiar de opinión. Pero le daba igual que el Celeste Aida funcionase. Le daba igual todo.

–... Así que le preparasteis un sorbete de mango...

–Era su preferido –detalló Alessandro Malatesta–. Lo pedía siempre que visitaba el hotel.

–A la bruja le encantaba la sala de los parafangos –dijo Roberto Vasari ajustándose los guantes de piel.

–Entiendo...

–Nunca imaginamos que alguien más entraría a esa hora –añadió el gerente pensativo.

–No, ningún huésped la vio llegar, ni siquiera avisé a mis empleados de su visita. Nadie estaba al corriente. Nos ocupamos personalmente de recogerla en el aeropuerto y de traerla hasta aquí en mi coche, nos encargamos de su *suite*, de su equipaje, y no registramos su entrada en el hotel. No había testigos.

–Como si nunca se hubiera alojado en el Celeste Aida...

–Eso es –dijo Alessandro Malatesta–. Y todo iba muy bien hasta que aparecisteis vosotros dos –subrayó en tono acusador.

–¿Satisfecho? –le preguntó el director del hotel y, a continuación, le señaló el maletero del coche para que entrara en él.

–Satisfecho –respondió Albert Zimmer y les hizo un gesto para que se dieran la vuelta.

La abuela de Erik y Peter Eisel, que habían bajado por las escaleras de emergencia, estaban allí, al lado de una de las columnas del aparcamiento. Se habían quedado con la boca abierta tras escuchar la confesión del crimen. A pesar de la conmoción, ambos intentaban asimilar lo ocurrido. Berta Vogler no consiguió ocultar su estupor ni su decepción. Roberto, que siempre la había tratado como un caballero, se había transformado en un asesino sin escrúpulos. No podía creerlo.

Esos tipos, el gerente y el director del hotel, habían matado a sangre fría a Úrsula Goldberg, la habían envenenado para que no cerrase el Celeste Aida. Y, además, estaban dispuestos a eliminar a los dos jóvenes que habían descubierto sus planes. Fue entonces cuando se fijó en Albert, en su brazo herido por el disparo del revólver, y de forma inmediata se percató de que Erik no aparecía por ninguna parte.

–¿Dónde está mi nieto?

La pregunta estalló como un trueno.

–... Berta –logró balbucear Roberto Vasari.

–¡He dicho que dónde está mi nieto!

Un extraño ruido sonó a su espalda. Parecía provenir del interior de uno de los coches aparcados.

–¿Qué ha sido eso? –preguntó ella.

Roberto Vasari respiró con fuerza y pulsó el mando a distancia de su coche. El maletero empezó a abrirse muy despacio deslizándose con suavidad. Entonces, Berta corrió hacia el automóvil y se inclinó sobre el portaequipajes. La escena que se encontró parecía sacada de una pesadilla. Una anciana muerta en bañador, cubierta de lodo, aplastando a su nieto. En el aire, un hedor pestilente a vómito.

Su nieto había devuelto toda la cena del Celeste Aida y varios tropezones de comida exquisita se repartían por la cabeza del cadáver, por el turbante verde, por su cuello y brazos desnudos; otros habían resbalado cubriendo la camisa de Erik y parte del tapizado del coche. Berta se tuvo que tapar la boca y la nariz con la mano para contener una arcada.

–¿Te encuentras bien? –le preguntó intentando reponerse del efecto de los efluvios.

Erik asintió como pudo. Después, incapaz de hablar, le

tendió una mano temblorosa para que le ayudara a salir de aquel infierno. No estaba en su mejor momento pero se sentía embargado por una inmensa alegría y, por unos segundos, creyó estar viendo a un ángel en el rostro de su abuela.

Capítulo XXVII

Sin salida

Roberto Vasari aún sostenía la pistola, la mantenía entre sus dedos agarrotados mientras observaba cómo Berta tiraba de la mano de Erik y, al mismo tiempo, trataba de levantar el tronco de Úrsula Goldberg para que su nieto consiguera salir del maletero. Testigo de aquel espectáculo imprevisto, el gerente observaba desorientado a su cómplice. ¿Cómo se suponía que debían actuar?... El plan que habían ideado para enterrar el cuerpo de la multimillonaria durante la noche se había ido al traste. ¿Cuál sería el siguiente paso?... Deshacerse de cinco cadáveres y un chucho resultaba una misión casi imposible. Por un momento, sopesó esa posibilidad. ¿Y si los mataran allí mismo?...

Era la única alternativa que les quedaba. Sin embargo, ¿conseguirían eliminar las pistas de todos ellos?... Estaba claro que no iban a ser capaces de meter a los cinco en los maleteros. Si dejaban a uno con vida, tal vez podrían trasladarlo maniatado en uno de los asientos del coche hasta el lugar donde pensaban enterrar el cuerpo de Úrsula Goldberg. Tendrían que cavar una fosa enorme. No se le ocurría nada mejor. La voz grave de Peter Eisel tiró por tierra sus pensamientos.

–Hemos avisado a la policía, están en camino. Vienen hacia aquí y no tardarán en llegar.

Al escuchar aquellas frases, el director del hotel dejó caer el revólver al suelo. Todo había acabado, al menos para ellos. Berta lo miraba con una mezcla de odio y consternación, con sus ojos claros hiriéndole igual que cuchillos.

Entretanto, Erik había logrado salir de su fugaz cautiverio como si hubiera permanecido años encerrado, cual conde de Montecristo. Llevaba, sin embargo, un rastro de tropezones con sabor ácido pegados en la cara y en la ropa que delataban su pánico.

Al ver que su nieto no precisaba más ayuda que la que le pudiera ofrecer una ducha y, seguramente, una larga temporada visitando a su psicóloga de Bremen, se dirigió hacia Zimmer y se sacó de la manga el pañuelo que Erik había utilizado para amordazar a Peter Eisel.

–¡Acércate, Albert! –le rogó–. Te vendaré esa herida hasta que te vea un médico.

–Gracias –balbuceó el joven tendiéndole el brazo.

Cuando notó la presión de la tela sobre la piel, le entraron ganas de gritar pero, en su lugar, apretó la mandíbula y arrugó el ceño.

–Has tenido mucha suerte de que la bala solo te haya rozado, querido –le dijo Berta mientras anudaba el pañuelo y daba por finalizado el vendaje provisional.

A pocos metros, Erik se limpiaba con su jersey de punto inglés los restos de la vomitona. No podía entender cómo su abuela se había dado tanta prisa para socorrer a Albert, cómo le había abandonado por él en semejantes circunstancias. Tampoco era capaz de comprender que «su» pañuelo, con las iniciales bordadas a mano, taponase la herida de un tipo como Zimmer. A fin de cuentas, él no era un Vogler. Tragándose el orgullo, se acercó a ellos.

Para su sorpresa, Berta y el joven lo rehuyeron con disimulo. El olor les resultaba insoportable. Cada uno se alejó en diferentes direcciones. Albert, agachando la cabeza, se aproximó a uno de los coches que estaban aparcados y se apoyó en su lateral, mientras que su abuela hizo como que no lo veía y caminó decidida hacia Roberto Vasari.

–Lo siento –se lamentó el director del hotel sin atreverse a sostenerle la mirada.

–¡Mírame a la cara, Roberto!

A duras penas, el hombre la obedeció. Levantó la barbilla y se topó con los ojos inquisitivos de su compañera de la universidad.

–¿Cómo has podido? –le preguntó.

Y, sin esperar una respuesta, le soltó una sonora bofetada que se estrelló contra su mejilla. Los dos jóvenes, Alessandro Malatesta, Peter Eisel y el propio Roberto Vasari se quedaron de piedra. La señora Vogler, sin embargo, parecía un volcán en erupción.

–Nos hacía la vida imposible –trató de justificarse el director del hotel–. ¿No lo entiendes, Berta?... Este lugar, el Celeste Aida, ha sido mi sueño en los últimos años. Le he dedicado todo mi tiempo. No iba a permitir que nos lo arrebatara.

Definitivamente, Roberto Vasari era bobo. Eso se repitió la abuela de Erik con la palma de la mano aún enrojecida tras el guantazo.

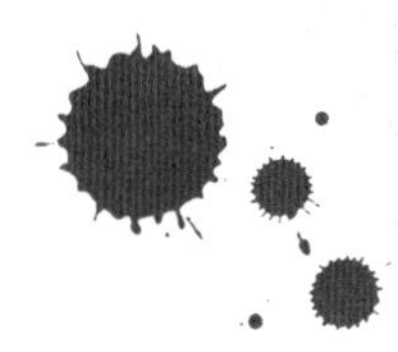

Capítulo XXVIII

La historia de Peter Eisel

Antes de que la policía de la ciudad de Como llegara al Celeste Aida, y a pesar del tufo que emanaba del cuerpo de Erik, Peter Eisel hizo un nuevo intento para que le devolviera el camafeo de Venus. Aprovechó para enseñarle una fotografía de su madre de joven y le pidió que la comparara con el retrato en blanco y negro de la pareja que escondía la joya romana. A regañadientes, el nieto de Berta siguió sus instrucciones, abrió el camafeo y contempló las dos instantáneas. Efectivamente, se trataba de la misma mujer.

Albert, que se había acercado al presunto hijo de Thomas Goldberg y había visto lo que acababa de mostrar, le aseguró:

–Si lo que dices es verdad, cuando le entreguemos la joya a la policía podrás convencerles de que, en realidad, perteneció a tu madre. Nosotros –dijo aludiendo también a Erik– confirmaremos que la llave que abría el camafeo estaba en vuestro poder, que nos la entregasteis para demostrar vuestra versión. Solo tenéis que explicarles la historia que nos has contado, mostrarle la fotografía y que tu madre añada toda la información que recuerde.

–Eso espero –contestó resignado–. Llevo mucho tiempo

aguardando este momento. Incluso entré a trabajar estos últimos meses a las órdenes de Úrsula Goldberg.

–¿Trabajabas para ella?

–Sí –reconoció–. Me contrató como uno de sus ayudantes personales.

–Como un secretario... –dijo Vogler.

–Sí –dijo molesto, mirando al joven que se volvía a guardar la joya en el interior de los pantalones–, aunque yo prefiero el término *ayudante personal*.

–Así que empezaste a trabajar a su servicio para estar más cerca del camafeo... –dedujo Zimmer con una sonrisa.

–Sí, era una mujer verdaderamente insoportable y repelente –aseguró dando la razón a Roberto Vasari–. Pero fue el único modo que encontré para saber cuándo lo llevaba encima y controlar en qué lugares tenía pensado lucir la joya de mi madre.

–Por ese motivo sabías que Úrsula Goldberg iba a visitar el Celeste Aida –apostilló Albert.

–Sí, me ocupé de reservar el vuelo que me pidió a última hora porque su jet privado tenía un pequeño problema técnico. Así que se vio obligada a volar en primera clase. Ella, la viuda de Thomas Goldberg... Aquello le sentó fatal –recordó–. Se puso hecha un basilisco, había perdido la costumbre de volar en un avión de pasajeros. Me ordenó que no le comentase a nadie que iba a tomar ese vuelo y no me dio ninguna explicación de sus planes una vez que llegase a Milán.

–Sin embargo, era la ocasión perfecta para robarle el camafeo –le recriminó Erik–. Viajaba sola, sin protección. Llevaba la joya colgada al cuello y acudía a un balneario donde se suponía que, en algún momento, si se sometía a uno de los tratamientos, podía quitárselo. Era cuestión de aprovechar la oportunidad.

–Exactamente –admitió.

–Por esa razón la seguiste a la terma de los parafangos –afirmó Albert llevándose la mano al brazo herido.

–Sí, pero la sorpresa fue mayúscula cuando entré en la sala. Me di cuenta de que estaba muerta y de que el camafeo de Venus ya no estaba en su poder –confesó.

–Bueno, al menos, no se le cayó en el barro. ¡Podría haber sido mucho peor! –bromeó Zimmer.

El sonido de las sirenas de un par de coches que se aproximaban al balneario interrumpió su conversación. Se miraron entre ellos sin decir nada. Se quedaron quietos observando la rampa del garaje. Después, escucharon cómo se abría con lentitud una puerta metálica. Varios agentes armados irrumpieron en el aparcamiento del Celeste Aida.

Roberto Vasari miró a Berta antes de levantar las manos y colocarlas sobre la cabeza.

Capítulo XXIX

Regresando a Bremen

Casi una semana más tarde, cuando los agentes que llevaban el caso lo estimaron oportuno, obtuvieron el permiso para regresar a Bremen. A lo largo de esos interminables días tuvieron que declarar durante varias horas en comisaría para relatar con todo lujo de detalles lo que les había sucedido durante su estancia en el Celeste Aida.

En ese tiempo, los investigadores contrastaron las distintas versiones de los testigos, escucharon la historia del camafeo de Venus que les había entregado aquel chico que se había vomitado encima, hablaron sobre la joya romana con Eva y Peter Eisel, interrogaron al personal del Celeste Aida para dilucidar si habían participado o no en el doble asesinato.

Por supuesto, también hicieron la autopsia al cadáver de Úrsula Goldberg y a su chihuahua y buscaron todo tipo de pruebas, incluyendo los casquillos de las balas que se dispararon en la galería del hotel, que incriminaban a Roberto Vasari y Alessandro Malatesta en el crimen de la multimillonaria y en el secuestro e intento de asesinato de Albert Zimmer y Erik Vogler.

La prensa internacional se hizo eco de la muerte de la multimillonaria suiza; la noticia inundó las portadas de los periódicos y las revistas de la prensa rosa. También las cadenas de radio y televisión abrieron sus informativos con la tragedia que se había producido en el Celeste Aida. Y las redes sociales se vieron desbordadas por los comentarios de los internautas.

Todos querían opinar: los curiosos, los hipócritas, los interesados, los bromistas, los morbosos... Después de la muerte de Úrsula Goldberg, al menos durante los primeros días, disminuyó la venta de sorbetes de mango en todo el mundo. Un periodista comentó este curioso fenómeno en una tertulia de un famoso programa de televisión.

Esa semana de interrogatorios, declaraciones y papeleo se les hizo eterna y agotadora. Seguramente por ese motivo, nadie habría dicho que los tres pasajeros que deambulaban por las tiendas del aeropuerto de Milán volvían de pasar unas vacaciones en un balneario. Al menos, no por su aspecto. Albert y Erik estaban más pálidos y ojerosos que de costumbre. El primero lucía un vendaje en su brazo. El segundo, aunque vestía de forma impecable y con un peinado inamovible, parecía más delgado. La abuela de Erik tenía cuatro nuevas arrugas en su rostro, que nadie había percibido excepto ella.

Durante un rato, pasearon silenciosos entre las estanterías de chocolatinas, bombones y perfumes del *duty free*. Como una autómata, Berta compró varias cajas de «pecados de chocolate negro» y las subió al avión. Los tres ocuparon sus asientos y se abrocharon los cinturones de seguridad. Volvían a Bremen, por fin.

–Yo tenía razón –soltó Erik rompiendo el silencio.

–Ya –admitió Berta rasgando el plástico que cubría una de las cajas de bombones–. ¿Te apetece uno? –le ofreció a Albert, que estaba sentado a su izquierda.

–No, gracias. No suelo comer entre horas –repuso.

Ante la negativa del joven, la señora Vogler se giró hacia la derecha.

–¿Quieres tú? –le preguntó entonces a su nieto acercándole la caja.

Erik movió con energía la cabeza de un lado a otro.

–¡Venga, tontorrón, prueba uno! –le animó.

–... ¡Yo tenía razón y no me creíste! –exclamó enfurruñado mientras cruzaba los antebrazos sobre el pecho–. ¡Había un cadáver en el balneario!

Berta Vogler lanzó un suspiro y se metió dos bombones en la boca de un solo golpe. Los apretó contra el paladar esquivando la mirada de su nieto. Ya estaba otra vez ese pesado. Que sí, que tenía razón, que había sido testigo de un crimen, que habían matado a una anciana con turbante en los parafangos. ¡Cuántas veces se lo iba a recordar! Así que cerró los ojos con fuerza y se hizo la dormida. Erik se inclinó entonces hacia adelante. Observó a Zimmer. También él tenía los párpados cerrados y la cabeza ladeada. ¿Se habría quedado dormido en tan poco tiempo? Ni siquiera habían despegado.

Albert, mientras tanto, recordaba el delicado rostro de Véronique Pelletier, la sobrina del gerente, aquella hermosa joven con la que había hablado en el ático del hotel. Recordaba sus cabellos rojizos, su sonrisa y, sobre todo, ese largo cuello blanco con el que había soñado las últimas noches. Ese cuello que le hubiera encantado besar y morder.

ERIK VOGLER

BEATRIZ OSÉS
ERIK VOGLER
Y LOS CRÍMENES DEL REY BLANCO
edebé

BEATRIZ OSÉS
ERIK VOGLER
EN MUERTE EN EL BALNEARIO
edebé